Baltazar

Sławomir Mrożek

Baltazar

Autobiografia

Noir sur Blanc

Słowo wstępne: Antoni Libera

Fotografia na obwolucie: Jacek Poremba

Fotografia na skrzydełku: Wojciech Plewiński

Zamieszczone w książce fotografie pochodzą z prywatnego archiwum
Sławomira Mrożka

Opracowanie graficzne: Tomasz Lec

Oficyna Literacka Noir sur Blanc
ul. Frascati 18, 00-483 Warszawa

ISBN 83-7392-138-9

To, co nas scala, to pamięć i mowa

Różne bywają powody, z jakich pisarze przystępują do pisania wspomnień albo autobiografii. Najczęściej jest to przekonanie o ważności czy wręcz wyjątkowości własnej egzystencji, czasem wola skomentowania własnej twórczości, niekiedy wreszcie — nałóg pisania.

Sławomir Mrożek w słowie wstępnym i w zakończeniu tej książki powiadamia, iż spisywanie wspomnień podjął w celach terapeutycznych. Chodziło o to, aby za pomocą metodycznego drążenia pamięci i przelewania na papier zawartych w niej przeżyć, obrazów i myśli pokonać afazję (utratę zdolności posługiwania się językiem, zarówno w mowie, jak w piśmie), którą został on dotknięty w wyniku udaru mózgu. W ostatnich zdaniach pisarz, dziękując swoim terapeutom i opiekunom za pomoc w rekonwalescencji, dodaje, że owoc tej pracy pragnie poświęcić „wszystkim osobom dotkniętym afazją", i wyraża nadzieję, że może przysłuży się im ona w przezwyciężaniu tego ograniczenia.

Dedykacja ta i przesłanie brzmią szczerze i prawdziwie, nie wydaje się jednak, aby Autor szedł tu śladem modnych obecnie i wielce cenionych w kulturze masowej „ofiar", które zmierzywszy się z taką czy inną przypadłością — rakiem, alkoholizmem, narkomanią itp. — i wyszedłszy z opresji w miarę obronną ręką, ogłaszają światu swój tryumf i przyjmują nieraz wobec innych pozę wtajemniczonych pocieszycieli. (Nawiasem mówiąc, ich pociecha polega często na zawoalowanym chełpieniu się własnym wyzdrowieniem, czyli — szczęściem). Wydaje się, że Sławomir Mrożek, podkreślając terapeutyczny charakter książki i w szczególny sposób adresując ją do osób z upośledzeniem, jakie stało się jego udziałem, czyni gest o głębszym znaczeniu niż tylko wyrażenie solidarności z towarzyszami niedoli.

Ludzie dotknięci afazją, a także pokrewnymi przypadłościami, takimi jak amnezja czy syndrom Alzheimera, zdają się stanowić dla niego zaledwie wyostrzony przypadek... normalnego ludzkiego losu. Chodzi o to, że człowiek, z natury rzeczy przeobrażając się w czasie, traci, i to nie raz, samego siebie; wielokrotnie przestaje być tak zwanym sobą. „Tak zwanym", bo gdy się zastanowić nad sensem tego zaimka, zaczyna się on „rozmywać"; staje się, jak określa to pisarz przy innej okazji, „lingwistyczną ułudą".

Inaczej mówiąc, Sławomir Mrożek, którego zresztą zawsze zajmowała kwestia tożsamości (narodowej, społecznej, kulturowej), z godną podziwu odwagą i determinacją wykorzystał przypadek własnej choroby do podjęcia zasadniczego problemu człowieka, jakim jest samoidentyfikacja jednostki. Co rozumiemy, mówiąc o sobie „ja"? Co to właściwie znaczy, że czujemy się „sobą"? Czy jest to stan ciągły, czy zmienny, a jeśli zmienny, to co podlega zmianie? Co jest podstawą naszej tożsamości, którą wiążemy z naszym imieniem i nazwiskiem?

Autor, nawiązując do korespondencji z Janem Błońskim, zaprzyjaźnionym krytykiem, prowadzonej w latach sześćdziesiątych, przywołuje pewne jego spostrzeżenie dotyczące swojego ówczesnego dorobku literackiego. Otóż Błoński w jednym z listów powiada, że Mrożek pisze tak, jakby nie potrafił podjąć żadnego tematu „w stanie naturalnym", tylko „ponadnaturalnym"; że aby powiedzieć coś istotnego — o czymkolwiek — musi się on wznieść do poziomu dziwactwa, groteski, absurdu; tylko w ten sposób umie mówić o świecie, człowieku czy historii.

W tej książce jest inaczej. Pisarz mówi tu najzwyczajniej, jak jest to tylko możliwe. Nie zdarza się to wprawdzie po raz pierwszy — już wcześniej dał liczne przykłady takiej formy (chodzi głównie o teksty zebrane w tomach *Varia*, a także o setki stron fascynującej korespondencji) — po raz pierwszy jednak przybiera to takie rozmiary. Kusi w tym miejscu paradoks: być może ten stan rzeczy powoduje „nienaturalna", „zdeformowana" czy wręcz „monstrualna" sytuacja, w jakiej autor *Emigrantów* znalazł się wskutek choroby.

On sam, z właściwym sobie poczuciem humoru, interpretuje to tak, że ten, który nie potrafił pisać inaczej niż „ponadnaturalnie" (surrealistycznie, parabolicznie, groteskowo), po prostu przestał istnieć — zanikł, rozwiał się nie wiadomo gdzie, umarł. Jego miejsce zajmuje teraz ktoś inny — osobowość o innych właściwościach, i to do tego stopnia, że domaga się innego nazwiska. Będzie nim tytułowy Baltazar.

Pod koniec tego raportu o życiu Sławomira Mrożka jego autor opowiada o śnie, jaki miał w Paryżu w grudniu 2003, w półtora roku po przebytym udarze. To właśnie w tym śnie poznał on swoje nowe imię i „usłyszał" zapowiedź „dalekiej podróży za granicę". Nie ma powodu wątpić w szczerość tego wyznania; nie wydaje się, aby piszący wymyślił ten sen dla celów kompozycyjnych, a zwłaszcza dobrał w nim sobie imię. Nie jest ono jednak pospolite ani mało znaczące. Nieodparcie kojarzy się z ostatnim królem Babilonii, a przez to ze słynną przepowiednią podczas mitycznej uczty. Chodzi oczywiście o biblijne *mane, tekel, fares*, wypisane na ścianie tajemniczą ręką. Przypomnijmy, co znaczą te słowa, przynajmniej według proroka Daniela:

> Policzono, zważono, rozdzielono. Policzył Bóg królestwo twoje i kres mu położył. Zważony jesteś i znaleziony za lekkim. Rozdzielono królestwo twoje i dano je Medom i Persom.

Baltazar *vel* Sławomir Mrożek dokonuje w tej książce bilansu swego życia („liczy") i ocenia samego siebie („waży"). Ponieważ zaś nie posiada żadnego królestwa i nie ma czego dzielić, d z i e l i s i ę tym, co ma, czyli swoją mądrością. A mądrość ta powiada: to, co nas scala, to pamięć i mowa. Oto jedyne królestwo człowieka.

Antoni Libera

Od Autora

Nazywam się Sławomir Mrożek, ale na skutek okoliczności, które zaszły w moim życiu cztery lata temu, moje nowe nazwisko będzie znacznie krótsze: Baltazar.

Dnia 15 maja 2002 roku przeżyłem udar mózgu, którego wynikiem była afazja. Afazja jest to częściowa lub całkowita utrata zdolności posługiwania się językiem, spowodowana uszkodzeniem niektórych struktur mózgowych.

Kiedy odzyskałem mowę i podjąłem próbę powrotu do pracy, pani magister Beata Mikołajko, która jest z zawodu logopedą, zaproponowała mi, abym w ramach prowadzonej terapii napisał nową książkę. Zdecydowałem, że będzie ona nosiła roboczy tytuł *Dziennik powrotu — ciąg dalszy* w nawiązaniu do *Dziennika powrotu*, który opublikowałem w 1996 roku. Ale tym razem opowiadam o tym, co wydarzyło się aż do roku 2005. I ta książka jest obecnie gotowa.

W trakcie pisania moja pamięć stopniowo powracała. W rezultacie we wrześniu 2005 roku, gdy kończyłem książkę, byłem w stanie przypomnieć sobie znacznie więcej wydarzeń, a także potrafiłem je zapisać. Mam nadzieję, że pomimo oddania książki do druku proces ten będzie postępował i coraz sprawniej będę posługiwał się językiem zarówno mówionym, jak i pisanym. Wierzę, że z czasem wyrównam zdolność pisania na tyle, na ile jest to możliwe po afazji.

Pierwsza, krótka część tej książki dotyczy Meksyku. Chodziło mi o to, żeby przypomnieć czytelnikom, co się działo od roku 1990 do roku 1996 i co opisałem w *Dzienniku powrotu*. Druga część książki opisuje moje życie od czasu dzieciństwa aż do mojego wyjazdu z Polski.

Proszę nie szukać w tej książce mojej inicjacji erotycznej ani jej dalszego ciągu, bo ich tutaj nie ma. Zgadzam się z tezą, że tego rodzaju bliskość między mężczyzną a kobietą jest najważniejsza na świecie, ale powstrzymuję się od tej tematyki z uwagi na absolutnie prywatny charakter tych spraw oraz na panującą w naszej literaturze niesprawiedliwość. Podczas gdy mężczyźni mówią o nich hałaśliwie, kobiety przeważnie milczą, choć niejedno miałyby do powiedzenia. Ta jednostronność zeznań budzi we mnie nieufność. Znając mężczyzn, znam także ich skłonność do samochwalstwa, która sprawia, że zwykłem czytać ich pamiętniki co najmniej z niedowierzaniem.

W książce wspominam różne znane i mniej znane osoby, a także różne sytuacje, w których znalazłem się w ciągu mojego życia. Może się zdarzyć, że niechcący zmieniłem pewne fakty i przedstawiłem je inaczej, niż było w rzeczywistości. W takim wypadku proszę czytelników o wybaczenie.

Baltazar *vel* Sławomir Mrożek

Z Meksyku do Krakowa

Siedem lat mojego życia spędziłem w Meksyku, a w kwietniu 1996 roku podjąłem decyzję o powrocie do Polski. Żeby potem wytrwać w tym postanowieniu, ogłosiłem je niezwłocznie w „Dzienniku Polskim" w cyklu felietonów pt. *Dziennik powrotu*. Cykl ten był drukowany w Polsce i ukazywał się do 2 sierpnia 1996 roku. Był to zbiór moich wrażeń najrozmaitszych — dotyczących Meksyku oraz Polski.

Od chwili mojego wyjazdu z kraju, czyli od 7 czerwca 1963 roku, Polska stawała mi się coraz mniej znana. Po raz pierwszy odwiedziłem ją piętnaście lat później, już z francuskim paszportem. Przyjechałem tylko na dwa tygodnie, ale było to o wiele za mało, aby ten kraj na nowo poznać.

Wydawało się jednak, że polska rzeczywistość, nawet jeżeli nie wróci do normy, to przynajmniej będzie bardziej przyjazna społeczeństwu. Zanosiło się na Solidarność, Polska stawała się coraz ciekawsza. Po raz kolejny odwiedziłem Polskę w roku 1980, w październiku. Nie wiedziałem, gdym wracał do Paryża, że już 13 grudnia 1981 roku czeka ją stan wojenny.

Wojenne rygory w kraju opóźniły mój następny przyjazd o siedem lat. Kiedy w roku 1987 umarł mój ojciec, musiałem ponownie powrócić. Ale siedem lat od wprowadzenia stanu wojennego sytuacja polityczna uległa już rozluźnieniu i nie wiązało się to z jakimś szczególnym ryzykiem. Wreszcie w roku 1990 spędziłem niezapomniane trzy tygodnie na moim festiwalu w Krakowie, w Polsce już wolnej.

Ale wtedy przyjechałem z Meksyku, w którym mieszkałem od pół roku. Nie zamierzałem powrócić na stałe do Polski. Meksyk wydawał się moim przeznaczeniem — już na zawsze. Moim domem była hacjenda położona wśród gór, w pół drogi między miastami Mexico City a Puebla, jeszcze nieskończona. Byłem pełen nadziei na przyszłość. Niestety, przyszłość okazała się prawie śmiertelna.

Jeszcze nie od razu. Z żoną Susaną przeżyliśmy jeszcze pół roku, budując hacjendę. Oboje, pełni wrażeń z festiwalu, układaliśmy plany, w których na Polskę nie było miejsca. Przeszłość była zamknięta, festiwal był ostatecznym tryumfem i nie pozostało już nic do dodania. Teraz tylko hacjenda i stateczne życie na uboczu, jak najdalej od Polski.

Przybyliśmy tu z końcem czerwca. Był grudzień, ale w Meksyku grudzień niewiele różni się od innych pór roku. Kiedy ukończony został pierwszy budynek, postawiliśmy wiechę. Było święto, fetowanie, *mariachis*, służba, robotnicy i nasi goście. Niedługo potem poczułem się źle. Wstałem rano nieswój i Susana, przyjrzawszy mi się, powiedziała, że zaraz jedziemy do Mexico City. Ja oświadczyłem, że nigdzie się nie ruszę. Nic nie mówiąc, Susana wysłała służącą po klucze od samochodu, a ja, co chwila tracąc przytomność, pozwoliłem się umieścić obok kierowcy. Droga do Mexico City zajęła około dwu godzin. Stanęliśmy przed gmachem The British and the American Hospital. Byłem półprzytomny. Rozebrałem się i obrzuciłem lekarza stekiem wyzwisk. Potem zacząłem się ubierać z powrotem, żeby wrócić do domu. Zatrzymano mnie siłą. Straciłem przytomność. Odzyskałem ją, kiedy byłem już po operacji. Zdiagnozowano u mnie aneuryzmę, czyli po polsku — tętniaka aorty. Mój stan był poważny, stawką było 1 do 9. Jeden to przeżycie operacji. Jej ślady, zabliźnione cięcie od szyi do pasa, będę nosił aż do śmierci. Ta blizna kryje rurę z teflonu, czyli sztuczną aortę.

Długo trwało, zanim zacząłem przychodzić do siebie. Po miesiącu zawieziono mnie na ranczo, ale do czasu kompletnego wyleczenia potrzeba było roku.

Zacząłem odzyskiwać siły dopiero w 1992 roku, co zbiegło się z kolejną podróżą, tym razem do Włoch oraz do Polski.

Ale najpierw miałem napisać sztukę pt. *Wdowy*, pierwszą po pięciu latach przerwy. Później, w maju 1992 roku, wziąłem udział w międzynarodowym festiwalu teatralnym w Sienie, gdzie wystawiono tę sztukę. Towarzyszyła mi grupa polskich aktorów, gdyż — zgodnie z międzynarodowym regulaminem festiwalu — sztuka miała być przedstawiona w języku, w jakim została napisana. W Polsce byliśmy krótko i nie mieliśmy kontaktu ze sprawami Polaków. Moje dalsze życie miało toczyć się wyłącznie w Meksyku.

Okres od 1993 do końca 1995 roku był najbardziej twórczy w mojej meksykańskiej wyprawie. W 1993 roku napisałem sztukę *Miłość na Krymie*, która starczyłaby za trzy sztuki na raz. Dostałem za nią prestiżową nagrodę w Paryżu i gwarancję wystawienia jej przez Francuski Teatr Narodowy, co zrealizowano rok później. Rok 1994 przyniósł podróże do Francji, Szwajcarii i Niemiec.

W okresie Bożego Narodzenia 1996 roku nastąpił krach na giełdzie, jeden z tych, które co parę lat wstrząsają Meksykiem, a pośrednio — innymi krajami. Spowodowało to zubożenie i likwidację małych i średnich przedsiębiorstw oraz gwałtowny wzrost bezrobocia. Jednocześnie po dziesięciu latach względnej stabilizacji znacznie wzrosła przestępczość. Głównie porwania dla okupu. Zabójstwo niedoszłego kandydata na prezydenta i związane z tym afery przyczyniły się do społecznego zamieszania. Na dodatek nasze sprawy wewnątrz La Epifania (nazwa oznaczająca objawienie, nadana naszej posiadłości sześć lat wcześniej) zaczynały się psuć. Już nie mogliśmy zaradzić rozprzężeniu wśród służby. Nowy ochroniarz, z którym musieliśmy jeździć, zaczął mieć coraz większe wymagania. Mieszkańcy wioski, w pobliżu której mieszkaliśmy, wyrąbali ostatnie drzewa. Wymieniłem tylko niektóre z naszych kłopotów. Zaczęliśmy już poważnie, ale każde z osobna, myśleć o opuszczeniu Meksyku.

„Paryż czy Kraków, wybieraj". Takie pytanie postawiłem przy śniadaniu 10 kwietnia 1996 roku. I Susana, po krótkim namyśle, odparła: „Kraków". „W jednej chwili rozstrzygnęły się nasze dalsze losy" — jak napisałem w *Dzienniku powrotu*.

Teraz powracałem do Krakowa już na stałe. Nie opuszczało mnie jednak pytanie, jakie to miasto będzie dla nas, ale odpowiedź miałem uzyskać dopiero po przyjeździe. Teraz widzę, że wszystko jest inaczej, niż sobie wtedy wyobrażałem. Działać, nie planując choćby o jeden dzień naprzód, jest niemożliwe. Ale gdy potem dowiemy się, że życie nie potwierdziło naszych planów — jesteśmy rozczarowani. Co robić? Nieustannie tylko podziwiać, że rzeczywistość nas sobie lekceważy? To wątpliwa pociecha.

Na razie przygotowania do podróży całkowicie odsunęły ode mnie ten problem. Należało całe ranczo zredukować do kontenera i w nim je zamknąć, a następnie dopilnować, żeby kontener odjechał za morze, i ująwszy po dwie walizki, samemu się tam przenieść, co wykonano 8 września 1996 roku o świcie.

Gdy samolot, nabrawszy wysokości, skierował się na wschód, z daleka widać było dzikie wąwozy i nieużytki — całą tę przestrzeń prawie opuszczoną przez człowieka. A ja wiedziałem, że jakkolwiek ułożą się dalsze moje losy, oddalam się stąd na zawsze.

Z powrotem w Krakowie

Z mnogości wrażeń zostały mi w pamięci tylko topole. Ile razy przypominam sobie ten moment, pojawiają się ich sylwetki — wysmukłe i drżące, choćby przy najmniejszym wietrze. A Kraków dopiero w nieokreślonym tle.

Drogę do miasta odbyliśmy w deszczu. Jaki ten Kraków niewielki! Nigdy wcześniej mi się taki nie wydawał, a przecież bywaliśmy tu już wiele razy. Już Wola Justowska, hotel Cracovia i zaraz potem stanęliśmy przy Starym Teatrze.

Ostatnie ciężkie walizy wniesione zostały na górę. Wszyscy, którzy je wnosili, mówili po polsku, tak samo jak wszyscy nieznajomi spotkani na ulicy. To budziło we mnie najgłębsze zdumienie. I wreszcie usiedliśmy obok siebie. Sami. Po dwóch dniach spędzonych w samolocie.

Patrzyliśmy na dwa okna po przeciwległej stronie ulicy. Byłem tak otępiały, że nawet uparta myśl, która pobrzmiewała w mojej głowie od momentu wylądowania: „Co ja właściwie tu robię?" — umilkła.

Nazajutrz była niedziela. Chmury niosły deszcz, chwilami deszcz zanikał, chmury trwały. Tego roku jesień była wyjątkowo przedwczesna. Przeszliśmy ulicą Starowiślną i usiedliśmy w kawiarni na Kazimierzu, jak przystało na turystów. Jeszcze „na turystów", bo od tej chwili mieliśmy tu osiąść na stałe.

„Co ja właściwie tu robię?" — ta myśl powróciła i miała mi towarzyszyć przez następne lata.

Powoli przyzwyczailiśmy się do nowych warunków. Muszę powiedzieć, że nie oczekiwałem aż tak entuzjastycznego powitania, jakie mi zgotowano.

Pozostałem „bohaterem sezonu", zanim moje uniki, wybiegi i zaniedbanie tego rodzaju obowiązków zaczęły przynosić rezultaty. Dopóki byłem w Polsce, odnosiłem sukcesy. Gdy wyjechałem za granicę, przestało to dla mnie mieć jakiekolwiek znaczenie. Teraz wróciłem i ponownie odniosłem sukces. W końcu nastąpiła względna stabilizacja. Takie koleje losu godne są kilku uwag.

We wczesnej młodości, czyli w dwudziestym roku życia, byłem więcej niż rad z błyskawicznej kariery. Dość powiedzieć, że od czasów, w których byłem anonimowy, aż do mojego wyjazdu za granicę minęło zaledwie trzynaście lat! To prawda, pomógł mi rok 1957 — rok nagłych karier, jak w przypadku Marka Hłaski i innych osób. Ale trzy lata później nastąpił koniec „odwilży", co po dalszych trzech latach zmusiło mnie do szukania szczęścia za granicą. Poza względami politycznymi oraz wszystkimi innymi — szukanie sławy w młodości jest rzeczą naturalną. Zwłaszcza w mojej młodości, w której nic nie wróżyło takiego obrotu sprawy. Ale poza tym, co było naturalne, szukanie popularności w Polsce miało inne, specyficzne przyczyny. W kraju małym, a w dodatku totalitarnym i odciętym od świata, „być kimś" znaczyło wyróżniać się z szarej masy obywateli. A wyróżniać się — znaczyło „być inżynierem ludzkich dusz" (słowa Józefa Stalina). Inne kategorie „różniących się" — to znaczy partia, a zwłaszcza Komitet Centralny, czyli sama elita — były nieliczne wobec owej masy.

Po wyjeździe za granicę zacząłem żyć całkiem inaczej. Tutaj popularność nie była aż tak ważna. W kraju rozległym i rozsądnie urządzonym rola artystów jest ograniczona do ich konkretnych zawodów. Z ulgą stwierdziłem, że popularność nie była mi potrzebna. Zawsze chciałem żyć jak ktoś, kto ma jasno określone zobowiązania i jasno określoną wolność. We Włoszech było to znacznie łatwiejsze niż w ówczesnej Polsce. Jednak gdy przeniosłem się do Francji, poczułem, że właśnie to jest mój kraj. Nie bez przyczyny przeżyłem tam dwadzieścia jeden lat i pomimo tego, że znów mieszkam w Polsce, do tej pory nie zmieniłem moich przekonań.

A w ogóle gdy chodzi o prawa, w życiu nie wiodło mi się najlepiej. Przed wojną byłem za mały, żeby docenić prawo. Potem żyłem przez pięć lat jako dorastający Polak w czasach, gdy tylko Żydzi i Cyganie byli w gorszej sytuacji, ponieważ oni nie mieli żadnych praw. Polepszyło mi się dopiero po wojnie, w PRL-u, ale tylko jako Polakowi „lewo myślącemu", że tak powiem, bo wszyscy inni Polacy byli praw pozbawieni. Toteż wnet nauczyłem się mieć podwójną moralność: uległą wobec państwa, skądinąd znienawidzonego, oraz prywatną. Ocaliła mnie dopiero ucieczka na Zachód, ale wtedy byłem już po trzydziestym trzecim roku życia.

Okres zagraniczny, od 1963 do 1996 roku, wspominam najmilej. Podwójna moralność zrosła się i scaliła natychmiast i wydawało mi się, że tak już zostanie. Miałem swoje polityczne preferencje, ale bez zaciekłości, na jaką los skazuje tylko rodowitych obywateli w danym kraju. Byłem przecież cudzoziemcem nawet wtedy, kiedy uzyskałem paszport francuski. Myślałem to, co czułem, i czułem to, co myślałem — bez różnicy i bez żadnych przeszkód.

Drugą przyczyną mojej popularności w Polsce był fakt, że pisałem w języku polskim. Kiedy później ostatecznie przybyłem do Polski, już trzy pokolenia uczyły się czytać z podręczników szkolnych, w których wykorzystano, między innymi, moje teksty. W dodatku miałem to szczęście, że nazwisko „Mrożek" było znane nawet tym, którzy nigdy nie mieli w ręku moich książek. Zaszczyt, jaki spotyka niewielu.

Trzecią przyczyną była okoliczność, że przez długie lata pobytu za granicą dawałem o sobie znać bardzo rzadko. Najpierw — ponieważ w PRL-u byłem *persona non grata*, a potem z braku zainteresowania z mojej strony. Dotyczy to zwłaszcza siedmioletniego okresu, jaki spędziłem w Meksyku. Już sama odległość nie sprzyjała wymianie informacji między Polską a mną. Nic więc dziwnego, że kiedy przybyłem tu na stałe, ciekawość ziomków była naturalna, choćby na krótką metę.

Czwartą przyczyną była sława, której doznałem na Zachodzie. Jakkolwiek ta sława była przesadzona — ziomkowie byli z niej dumni. A nas, ziomków, nie było za granicą zbyt wielu.

Piątą przyczyną było to, że pozostawałem na Zachodzie przez trzydzieści trzy lata i nikt się nie spodziewał, że w ogóle wrócę, i to tak nagle. Przecież od chwili decyzji do momentu powrotu minęły tylko cztery miesiące. A powracałem z Meksyku — bardzo odległego kraju.

I wreszcie szóstą przyczyną było to, że wówczas nikt ze znaczących osób do Polski nie wracał.

Dlaczego więc, kiedy wróciłem, już w pierwszym dniu myśl: „Co ja właściwie tu robię", zaświtała w mojej głowie?

Odpowiedź na to pytanie nie jest łatwa. Zacznijmy od rzeczy najprostszej.

W roku 1978 napisałem scenariusz, zrealizowany później w moim filmie *Powrót*. Ani wtedy, ani potem nie przyszło mi do głowy, że wrócę do Polski. A jednak był to scenariusz proroczy. Jest to historia mężczyzny w sile wieku, urodzonego w małym miasteczku w Słowenii, w drugiej połowie XIX wieku. W tym czasie, za panowania Franciszka Józefa, Słowenia była włączona do cesarstwa austriackiego. Gdy zaczyna się film — jest rok 1903, a protagonista przebywa już od dawna w Wiedniu. Osiągnął status dosyć znanego dramaturga i pisze w języku niemieckim. Nagle otrzymuje telegram od siostry, która w dalszym ciągu pozostaje na prowincji. Z telegramu wynika, że siostra czuje się bardzo źle. Zaniepokojony, bez chwili namysłu pędzi na prowincję, oczywiście koleją. Towarzyszy mu przyjaciółka. Potem wiążą się z tym rozmaite komplikacje, ale zatrzymam się przy scenie, w której protagonista, imieniem Leo, odwiedza Doktora.

DOKTOR Słyszałem, słyszałem, że mistrz do nas zawitał. Już mówi się o tym w mieście. Wielki zaszczyt. (...) No i jak mistrz nas znajduje po tak długiej nieobecności? To już dziesięć lat, zdaje się...

LEO Piętnaście.

DOKTOR Jak ten czas leci... I co? Zdążył się mistrz już rozejrzeć? Jakie wrażenia?

LEO Jestem tu dopiero od paru godzin.

DOKTOR Paskudna dziura, co?

LEO To moje rodzinne miasto.

Potem Leo zachorował. Leży na sofie w hotelu. Doktor bada jego płuca. Wstaje i wkłada słuchawkę do walizeczki z instrumentami lekarskimi.

DOKTOR Symptomy jak przy początkach astmy. A jednak, ogólnie rzecz biorąc, nie znajduję u pana żadnej anomalii. Czy miał pan kiedyś skłonności do epilepsji?

LEO Nie.

DOKTOR Hm... Ale to daje się wytłumaczyć. Dopóki ekwilibrium psychosomatyczne nie zostało naruszone, utajona skłonność mogła się nie ujawnić. Pan jest naturą delikatną. Od urodzenia i przez pierwsze dwadzieścia lat życia tutejszy klimat i warunki były dla pana środowiskiem naturalnym. Potem nastąpiła gwałtowna zmiana. Pierwszy wstrząs, z którego pan sobie nawet nie zdawał sprawy, ponieważ był pan jeszcze młodym człowiekiem. Obecnie znowu nastąpił kryzys, tym razem kryzys readaptacji. Ale tym razem, zważywszy pański wiek...

LEO Tym bardziej powinienem stąd wyjechać.

DOKTOR Owszem, ale należało wyjechać natychmiast po przyjeździe. Sam to panu radziłem, o ile pan pamięta. Teraz jest już za późno.

LEO Jak to, za późno...

DOKTOR Pan się źle odzwyczaja i źle przyzwyczaja. Pański organizm lepiej zniósł przejście ze znanego w nieznane niż z obcego, do którego pan się tymczasem przyzwyczaił, z powrotem do znanego, od którego pan już zdążył się odzwyczaić. Teraz jeszcze gorzej zniósłby przejście od częściowej readaptacji w reaktywowaną obcość. Kolejna zmiana mogłaby spowodować całkowitą już dezorientację systemu.

LEO To znaczy, że mam tu zostać na zawsze?

DOKTOR Tego nie powiedziałem. Ale na pewno należy poczekać, aż minie pierwsze stadium zakłócenia. Dlatego nie radziłbym się śpieszyć z wyjazdem. Zwłaszcza że...

LEO Zwłaszcza że?...

DOKTOR Zwłaszcza że mamy do czynienia z jeszcze jednym elementem, który mnie niepokoi.

LEO A mianowicie?

DOKTOR Ostateczna diagnoza wymagałaby dłuższej obserwacji.

Dokładnie osiemnaście lat później, kiedy powróciłem „na zawsze" do Krakowa, zrozumiałem, jak bardzo prorocze były tamte słowa. Zrozumiałem także, że im dłużej trwa pobyt na obczyźnie, tym trudniej jest się przyzwyczaić do ojczyzny. Ale nie tylko to utrudniało mi pobyt w Krakowie, a czasami czyniło ten pobyt nie do zniesienia.

Wreszcie tutaj, mając sześćdziesiąt sześć lat, zdałem sobie sprawę, że tylko do pewnego czasu życie toczy się po linii prostej. Z czasem linia nieznacznie zakręca, aby w końcu zakreślić koło. Osiągnąłem wiek, w którym ta zmiana już się dokonała. Czas, bym zrezygnował ze wszystkiego, co kiedyś było nowe i nieznane, ze wszystkiego, co warte było zachodu. Dalszy ciąg miał odbywać się jako parodia w starych dekoracjach mojego stanu psychicznego.

Obsesja „powracających widm" stanowiła inną kategorię tego stanu. Od trzeciego do dwudziestego dziewiątego roku życia pozostawałem w Krakowie. Reszta czasu, spędzona w Borzęcinie i w Poroninie, gdzie mój ojciec był naczelnikiem poczty, prawie się nie liczyła. Nie ruszałem się więc z Krakowa przez dwadzieścia sześć lat. W ciągu tych lat nagromadziło się sporo z pozoru nieważnych zdarzeń, a potem odszedłem bardzo daleko i przez trzydzieści trzy lata żyłem na różnych kontynentach. Obecnie znalazłem się znowu w miejscu nad Wisłą. W miejscu, które można obejść za dnia wolnym krokiem, nigdzie się nie śpiesząc. Otóż ilekroć wyszedłem z domu, nękały mnie owe „powracające widma". Polegało to na tym, że pojawiał się podwójny czas: jeden bieżący i drugi — jako wspomnienie. Na przykład, przechodząc koło kościoła Mariackiego, widzę, że naprzeciwko idzie młody człowiek. Zbliżamy się do siebie i nagle orientuję się, że ten młody człowiek — to ja. Tylko że dzieli nas różnica wieku — pięćdziesiąt lat. Młody człowiek znika, zanim zdążę się do niego odezwać.

Z początku „powracające widma" zdarzały się kilka razy dziennie. Potem raz na jakiś czas. Wreszcie znikły zupełnie.

Zmiany, jakie zastałem, dotyczyły głównie sposobu, w jaki toczyło się codzienne życie krakowian. Zmienił się ubiór, pożywienie, a nawet ich mieszkania w nowych dzielnicach Krakowa. I, co najważniejsze, nie była to już „Polska Rzeczpospolita Ludowa", tylko po prostu Polska. Nie ulegało wątpliwości, że były to zmiany na lepsze. Ale pozostały inne przyzwyczajenia, jak choćby akcent krakowski, który poznałem, gdy tylko nauczyłem się mówić. Albo ta sama wyniosłość w traktowaniu przybyszów pochodzących z innych części Polski, czyli skłonność do uważania się za kogoś lepszego. Ten sam partykularyzm, te same „wianki" w lecie i te same bale w zimie. Kiedyś, kiedy byłem jeszcze cząstką Krakowa, przystawałem na to z ochotą. Teraz, po objechaniu sporej części świata, wydawało mi się to śmieszne.

Ale powrót do Krakowa nie stanowił jeszcze problemu. Kiedy byłem na obczyźnie, mogłem mówić o Polsce, co tylko mi się podobało. Byłem tam sam, a resztę stanowiła ludność mówiąca w obcym języku. Kiedy wróciłem, miałem do wyboru: albo milczeć, albo przemawiać do rodaków, ale uważając na słowa, ponieważ jest nas trzydzieści sześć milionów i każdy Polak może być innego zdania. Typowym środowiskiem Polaków za granicą jest to, które do przesady kocha Polskę i w tym duchu stara się wychować swoje dzieci. Ale tylko na zewnątrz. Wewnątrz każdy ma swoje myśli, których nie ujawnia czy też nie potrafi ich przed nikim ujawnić. Nawet przed sobą samym. Jest to naiwność, ponieważ ludzie obcy mają inne rzeczy na głowie i dziwiliby się, gdyby się dowiedzieli, że Polacy aż tak kochają swój kraj. Polską manią jest przekonanie o tym, że inni, i to na całym świecie, interesują się nami.

Przez cały czas pobytu za granicą milczałem na temat Polski. Odpowiadałem tylko grzecznie na pytania zadawane mi przez obcych. Zresztą te pytania były rzadkie i też grzecznościowe. Z tego wnoszę, że wiedza o Polsce jest za granicą uboga i nie ma sensu częstować nią obcokrajowców wbrew ich woli.

Po powrocie musiałem coś opowiedzieć o zamorskich krajach napotkanemu ziomkowi. Nie lubię opowiadać, wolę słuchać. Wychodzę z założenia, że opowiadając, nie dowiem się niczego, czego bym nie wiedział, a słuchając — wiele mogę się dowiedzieć. Ale ziomek był ciekaw i miał do tego prawo. Inaczej nie mógłby się niczego nowego o sobie dowiedzieć. Unikałem jednak opowieści zbyt szczegółowych, ponieważ znałem przewrażliwienie ziomka na temat obcych. Nigdy nie było wiadomo, które opowieści go urażą.

Przeczuwałem sprawę groźniejszą. Po powrocie oczekiwano, żebym zabrał głos w „sprawach zasadniczych". Sprawy zasadnicze dotyczyły tego, o czym większość Polaków pisała i mówiła, nie mając w gruncie rzeczy pojęcia, o co chodzi. Gadali jednak bezustannie, ponieważ nie mieć opinii uważane jest za brak kultury, ogłady i w ogóle za coś niedemokratycznego.

Wkrótce po powrocie podpisałem umowę z „Gazetą Wyborczą" na cotygodniowy felieton. Później felieton ukazywał się raz na dwa tygodnie. Umowa została nagle przerwana trzy lata temu z powodu mojej choroby. Ale przez pięć lat z okładem pisałem felietony i dzisiaj widzę, że ze skutkiem przygnębiającym. Całe skrępowanie oraz niezręczność sytuacji powrotu wychodzą tam na wierzch. Mam wrażenie, jakbym robił dobrą minę do złej gry. Trwało pięć lat bez mała, zanim przystosowałem się ponownie do Polski.

Felietony z lat 1997–1999 zostały zebrane w książce. Są niezbyt udane i tylko do niektórych przyznałbym się, gdybym je napisał za granicą. Bezradność wobec polskiego tematu i życie w obcej perspektywie uderza mnie, autora, po upływie siedmiu lat.

Sprawy zasadnicze... Słabo już pamiętam, czego oczekiwano ode mnie. Polska zmienia się nieustannie i coraz to szybciej. Faktem jest, że wtedy była na mnie moda i najróżniejszych rzeczy ode mnie oczekiwano. Na przykład — co teraz mogę już wyjawić i co dzisiaj jest nie do wiary — żebym został dyrektorem jednego z dwóch największych teatrów w Polsce. Albo żebym, w dowód wdzięczności narodu, przyjął apartament od miasta Krakowa i w nim zamieszkał. Nie jest to śmieszne, widzę w tym rzecz poważną. Jest to dowód na wzruszającą naiwność Polaków. Gotowi są w porywie serca i gościnności wiele ofiarować przybyszowi, a potem zaraz gorzko żałować. I nie jest ważne, czy byłbym w stanie sprostać tym zaszczytom, czy też nie. Nasuwa mi się też dodatkowa uwaga, że zwyczajni hochsztaplerzy mogą na to liczyć. Jedno jest pewne: w ciągu siedmiu lat mojego pobytu w Polsce nie spotkałem żadnych oznak nienawiści czy choćby zazdrości. A przecież na taką ewentualność też byłem przygotowany. I za to jestem Polakom szczerze wdzięczny.

I wreszcie ostatni i najważniejszy powód mojego powrotu. Moją ostatnią sztuką napisaną w roku 1996 w Meksyku byli *Wielebni*. Nadszedł więc czas, żeby napisać nową sztukę. Jesienią 1998 roku pojechałem do Nieborowa. I tutaj okazało się, że problem jest poważniejszy, niż mogłoby się wydawać. Jeżeli prawdą było, co pisał Jan Błoński podczas mojego pobytu za granicą, to rzecz przedstawiała się następująco:

Wyjeżdżając na Zachód, miałem w dorobku siedem utworów dramatycznych, ale w tym tylko jeden, który jako tako wypełniał wieczór w teatrze. Reszta to były drobiazgi, czyli z punktu widzenia repertuaru — pojedyncze akty różnych sztuk. Karierę zrobiłem dopiero za granicą, pisząc rzeczy aż nadto obfite, to znaczy w trzech solidnych aktach, nadające się do interpretacji w różnych teatrach. Dlatego Jan Błoński zauważył ciekawą rzecz: że piszę tak, jakbym nie potrafił unieść treści, że tak powiem, „w stanie naturalnym", a tylko „ponadnaturalnym". To znaczy, muszę wznieść się do poziomu absurdu, groteski, dziwaczności i dziwactwa. Dopiero gdy zauważę rzecz szczególną i zagadkową — mogę swobodnie rozwinąć temat.

Coś w tym było. Wprawdzie w późniejszych latach udowodniłem, że mogę równie dobrze opisać rzeczywistość w stanie naturalnym, na przykład w formie scenariusza, ale przypomnienie słów Jana Błońskiego, pomimo minionych trzydziestu trzech lat, odnowiło się i zaniepokoiło mnie.

Czyżbym po powrocie do Polski natknął się na ten sam problem, który gnębił mnie jeszcze przed wyjazdem?

Nową sztukę zakończyłem w maju 1999 roku. Nosi ona tytuł *Goście Abrahama* i do tej pory nie była grana w teatrze w Polsce ani na świecie. Owszem, była grana w Telewizji Polskiej, ale każdy autor dramatyczny wie, że to nie to samo. Takie niepowodzenie odczułem zrazu jako klęskę i nic w tym dziwnego: po raz pierwszy od czasu mojej młodości teatr pominął moją sztukę, i to we wszystkich językach. Nie każdy autor kończy w ten sposób. Są tacy, którzy umierając, wiedzą, że w tym samym czasie na scenie grana jest ich sztuka. Ja, na szczęście, jeszcze nie umarłem.

Pozostają dwa wyjaśnienia. Zastrzegam z góry, że nie decyduję się na żadne z nich.

Pierwsze wyjaśnienie, że mój czas już minął. Nie byłoby w tym nic dziwnego, gdybym nie pisał sztuk przez pięćdziesiąt lat. Pierwsze oznaki przemijania dostrzegłem kilkanaście lat temu, jeszcze w Meksyku. Będąc na osobności, nie mając kontaktu z żadnym środowiskiem, dostrzegłem to, ale z tego samego powodu, to znaczy nie zwracając uwagi na środowisko, pisałem dalej. Dopiero podczas pobytów w Europie, podczas premier i ich konsekwencji — przekonałem się o tym ostatecznie. Ale wracałem do Meksyku, żeby dalej tkwić w błogostanie, aż dopiero mój nagły wyjazd do Polski na stałe uświadomił mi to.

Trudno jednak powiedzieć o kimś, że „jego czas minął". Jeszcze trudniej, gdy chodzi o dramaturga, zwłaszcza takiego jak ja. Splot rozmaitych okoliczności jest zbyt wielki. Można tylko powiedzieć ogólnie, że czas minął bez wątpienia, i uzasadnić: „ponieważ wszystko mija".

Drugie wyjaśnienie jest bardziej subtelne. Dopóki byłem w Polsce, podlegałem domniemanej przez Jana Błońskiego zasadzie. Kiedy wyjechałem — świat poszerzył się wielokrotnie i w związku z tym zacząłem dostrzegać jego różnorodność. Mogłem pisać zarówno o absurdzie, jak i o rzeczywistości w „stanie naturalnym". Ale gdy na zawsze powróciłem do Polski — wpadłem z powrotem w pułapkę.

Ta teoria nie uwzględnia dojrzewania osobnika. W tym przypadku byłbym to ja sam, a to, czy w danym momencie znajdowałbym się w Polsce, czy w innym kraju, miałoby charakter podrzędny.

Z drugiej strony teoria ta zakłada zasadniczą odmienność ówczesnej Polski od krajów Zachodu. Polska była „Polską Rzecząpospolitą Ludową", a o tym, co to oznaczało, mówią wspomnienia ludzi przez nią doświadczonych, łącznie ze mną. Polska nosiła wtedy wszystkie cechy typowe dla imperium rosyjskiego, jakże odmienne od tych, które prezentuje dziś, należąc do Unii Europejskiej. Dlatego mogę napisać, że „Polska była ograniczona". Mogę również zaryzykować twierdzenie, że „Polska jest ograniczona bez względu na ustrój".

Tutaj zauważę, że Polska dla mnie oznaczałaby jakiś szczególny brak oddechu, jakby to, co znane mi tak dobrze, odbierało mi jednocześnie impuls pisania.

Wróćmy do teraźniejszości, o której ma być ta książka. Lecz zanim przystąpię do dalszych relacji, niech mi wolno będzie zagłębić się w przeszłość.

Mój wczesny Kraków

Na początku Kraków nie był mały. Kiedy jeszcze nie umiałem chodzić, był dla mnie całym światem. Co prawda chodzić nauczyłem się jeszcze w Borzęcinie i w Poroninie, gdzie — jak już wspomniałem — mój ojciec dostał posadę naczelnika urzędu pocztowego. Do Krakowa zawitaliśmy, gdy miałem trzy lata. Zamieszkaliśmy w Prokocimiu. Trzeba pamiętać, że to wszystko działo się ponad siedemdziesiąt lat temu. Żeby to sobie uzmysłowić, wystarczy spojrzeć na film, którego akcja toczy się około roku 1930. Pocieszne stroje, dziwaczne meble, architektura — rzec by można — zabytkowa, wszystko to sprawia wrażenie dziwności. Jakże niewielką liczbę mieszkańców miał wtedy Kraków. W porównaniu z dniem dzisiejszym — było pusto. Stąd miało się wrażenie wszechobecnej prowincji, choć prowincji było akurat tyle samo, ile i dzisiaj.

Kraków to było pierwsze miasto w moim życiu. Różnica między miastem a wsią była w tych czasach znacznie większa niż obecnie. Sam fakt stąpania po bruku czy po asfalcie, a nie po wiejskiej drodze, pozostał dla mnie odkryciem na zawsze zapamiętanym. Dodam także, że w czasach mojego dzieciństwa na wsi nie było światła elektrycznego.

W Prokocimiu domki rozsiane były rzadko i prawie wszystkie były parterowe. Droga była ziemna, jesienią i na wiosnę błotnista. Ale już o piętnaście minut drogi koleją był Kraków, a w nim pełnia życia, ruchu i ekscytujących przygód. Byłem za mały i nie było potrzeby, abym jeździł do Krakowa. Ale obecność miasta była wyczuwalna, nawet na przedmieściach.

Nie znałem pojęcia „nuda". Podejrzewam, że to pojęcie pojawia się u dziecka z chwilą albo niedługo po tym, gdy osiąga ono wiek szkolny. Toteż w Prokocimiu ciekawiło mnie wszystko: zarówno przedszkole, do którego szybko się przyzwyczaiłem, jak i park, do którego chodziłem razem z matką. W tym czasie byłem jeszcze jedynakiem. Dwa lata starszy brat, którego ledwo pamiętam, umarł niedawno, a mojej siostry nie było jeszcze na świecie.

Dorastałem przed wojną i to zaważyło na moim wychowaniu. Świat, który nagle się wyłonił, poczynając od 1 września 1939 roku, był kompletnie inny od świata, do którego przyzwyczaiłem się od dziecka i który wydawał mi się „światem naturalnym". Grozę potęgował fakt, że musiałem przeżyć upadek jednego świata i nastanie drugiego „na żywo", i to w ciągu paru miesięcy. Zapłaciłem za to szczególną chorobą, która nie mija, pomimo że od tego czasu upłynęło już sześćdziesiąt pięć lat. Ta choroba nazywa się nieprzystosowaniem ogólnym. Do tej pory nie mogę uwierzyć, że ciągłość doświadczenia została raz na zawsze utracona.

W roku 1935 nastąpiła zmiana. Przeprowadziliśmy się do samego Krakowa. Ojciec w dalszym ciągu był „ambulansjerem", to znaczy pracował na kolei i obsługiwał ruchomy wagon pocztowy. Jeździł po całej Polsce. Taka praca była wyczerpująca, gdyż należało obsługiwać pocztę na każdej stacji w dzień i w nocy i sortować ją po drodze aż do następnego miejsca przeznaczenia. Ale była też lepiej płatna i być może ojciec otrzymał awans. Jednak dla nas — dla matki i dla mnie, a wkrótce także dla mojej siostry — była to bardzo znacząca zmiana.

Przede wszystkim byliśmy w Krakowie, a to oznaczało nowe kontakty z ludźmi. Zamieszkaliśmy przy ulicy Bandurskiego, w mieszkaniu na ostatnim piętrze, którego balkon i okna wychodziły na szeroką aleję Prażmowskiego. Prawie naprzeciwko, po drugiej stronie, była willa generała Monda i często przed nią stały konie z bryczką, a żołnierz w mundurze oczekiwał generała. Zdarzało się, że sam generał wychodził z domu, wsiadał do bryczki, a konie kłusem unosiły go w dal.

Generał i Wojsko Polskie — to była moja fascynacja. Dzieliłem ją z wszystkimi chłopcami mojego pokolenia. Wojsko też ukazywało się prawie codziennie. Osiedle oficerskie było wtedy luźno zabudowane i rozległe pola nadawały się do ćwiczeń. Kawalerzyści wyruszali na ćwiczenia i powracali po południu, nierzadko ze śpiewem, a ich długie lance z proporczykami wyglądały groźnie. Wszyscy mieli otoki tego samego koloru, tylko już nie pamiętam jakiego. Czerwone? Żółte? Amarantowe?

W tym samym okresie odkryłem niebo. Dosłownie. Może to było tak, że po raz pierwszy zamieszkałem na niebotycznej dla mnie wysokości? Do tej pory mieszkałem na prowincji, a w Poroninie nawet na pierwszym piętrze. Ale tutaj aż na czwartym! Biorąc pod uwagę mój wzrost, to była zawrotna, niewyobrażalna wysokość. Siedziałem całe dnie, patrząc w niebo i w chmury na niebie. Odkryłem, że są ich całe archipelagi, ruchome zatoki, płynne jeziora i fantastyczne wyspy.

Odkrycie to było podwójne, bo nigdy dotąd nie widziałem morza, a dzięki chmurom, sam o tym nie wiedząc, zobaczyłem morze po raz pierwszy.

Pewnego razu zobaczyłem balon na niebie. Nigdy nie widziałem takiego zjawiska. Płynął spokojnie i rzeczowo na tle tych fantastycznych chmur. Powitałem go z ulgą. Wiedziałem, że w środku są ludzie, ale ich nie widziałem. Zresztą nie byłoby ich widać w tym ogromnym majestacie.

W tym samym czasie odkryłem też moje przeznaczenie. Młodsza siostra mojego ojca, studentka Uniwersytetu Jagiellońskiego, mieszkała z nami i podczas jej nieobecności znalazłem stos papieru przygotowanego przez nią do egzaminów. Papier był czysty i biały. Zarysowałem wszystko bazgrołami i byłem tym zachwycony. Śpieszyłem się, żeby tylko postawić parę kresek na każdej stronie i już zająć się następną. Pamiętam, że akt fizyczny tego procesu był dla mnie rozkoszą. Później zająłem się tym na dobre i czynię to do tej pory.

Ojciec Leszka Króla, mojego kolegi z Prokocimia, zmarł, a matka Leszka też sprowadziła się na Bandurskiego. W jego domu pojawiał się porucznik lotnictwa, późniejszy bohater bitwy o Anglię. Razem z kolegą skrycie go podziwialiśmy. Również na Bandurskiego mieszkał Borys Bilewski, którego ojciec miał samochód.

Wydarzenia polityczne nie omijały mnie również. Pamiętam pogrzeb Piłsudskiego, Zaolzie i „Wodzu, prowadź na Kowno". Byłem wówczas szczerym patriotą. A kim miałem być, będąc dzieckiem?

Również moje „poglądy polityczne", jeśli można było mówić o poglądach, były takie same jak u rodziców i większości społeczeństwa. Byłem umiarkowanym antysemitą i gorącym zwolennikiem generała Franco. Wierzyłem bez zastrzeżeń we wszystkie obiegowe mity, przypowieści i przesądy ogółu.

W 1935 roku przenieśliśmy się z Bandurskiego na Kielecką, około pół kilometra dalej. Przypuszczam, że miało to związek z pojawieniem się mojej siostry. Nowe mieszkanie było nieco większe od poprzedniego. Matka przyjechała dorożką — wtedy dorożka była obiegowym środkiem komunikacji — a wraz z nią siostra, nad podziw malutka.

Mieszkanie na Kieleckiej usytuowane było na parterze. Południowe okna otwierały się na ogród i dalsze wille. Widok z okna na zachód rozciągał się aż do ulicy Bandurskiego. Między nią a naszym domem było pole. W suterenie wraz z żoną i nieletnią córką mieszkał pan Płaczek, który prowadził sklepik spożywczy mieszczący się tuż obok. Pan Płaczek miał podobno tajemniczego konia, stale ukrytego w przybudówce przy garażu. Nigdy nie udało mi się zobaczyć tego konia w zaprzęgu.

Na pierwszym piętrze od frontu mieszkał kapitan Lichnowski z żoną i dwoma dorastającymi synami. Kiedy wybuchła wojna i okupacja, Niemcy kazali nam wszystkim przenieść się do Podgórza. Rodzina Lichnowskich także dostała tam przydział i zamieszkała naprzeciwko, przy ulicy Bednarskiej. Dalsze losy kapitana Lichnowskiego nie są mi znane. Przypuszczam, że trafił do oflagu. Natomiast z jego rodziną związane są moje dalsze dzieje, które opowiem za chwilę.

We wrześniu 1937 roku zaczęła się szkoła. Było to ważne wydarzenie w moim życiu i — jak oceniam po latach

— wpłynęło znacznie na wybór zawodu. Zostałem pisarzem. Szkoła zaczęła się niewinnie, lecz perfidnie — od zabawy. Kilkadziesiąt lat temu inaczej podchodzono do dzieci. Mój przykład dotyczy jedynie sposobu, w jaki potraktowano nas w szkole męskiej imienia Świętego Mikołaja w Krakowie przy ulicy Lubomirskich. W tym okresie nie umiałem jeszcze odróżniać udawania od prawdy. Na pierwszej w moim życiu lekcji powitano mnie z przesadną serdecznością. Rozdano misie oraz różnego rodzaju zabawki i pozwalano nam się bawić nimi do woli. Oczekiwałem raczej zadania ponad moje siły i ta niespodzianka sprawiła mnie i moim siedmioletnim kolegom wielką radość. W atmosferze zabawy i beztroski spędziliśmy tę pierwszą lekcję, podczas gdy troskliwe mamy czekały na nas w korytarzu. Nic dziwnego, że kiedy skończyła się lekcja i rozeszliśmy się do domów, mówiliśmy o szkole z entuzjazmem. Następnego dnia, kiedy z równym entuzjazmem udałem się do szkoły, okazało się, że misie i różne zabawki zniknęły. I odtąd już ich nie było. Służyły jako przynęta. Wyszła na jaw prawda, że rzeczą w szkole najważniejszą jest nauka pisania i czytania. Od tego dnia aż do dzisiaj wolę prawdę od udawania.

W lipcu po ukończeniu drugiej klasy wyjechałem wraz z rodziną do kuzyna mojej matki, do Kamienia w województwie rzeszowskim. Ojciec nie pojechał z nami. W związku z napiętą sytuacją musiał pozostać na poczcie. Poczta i kolej miały wyjątkowe zarządzenia na wypadek mobilizacji.

To był wyjątkowo piękny lipiec, ale wtedy wszystkie miesiące były piękne. Po wielu, wielu latach zapytałem, jak to się dzieje, że w dzieciństwie wszystkie miesiące są piękne, nawet te zimowe, a potem przestają być takie. Uzyskałem ciekawą odpowiedź: „To proste. W dzieciństwie matka daje ci poczucie bezpieczeństwa i wtedy wszystkie miesiące są pogodne. Ale później, jeżeli twoja matka ma kłopoty, przestają być takie”.

Pomyślałem o tym i rzeczywiście. Z chwilą wybuchu wojny pogoda skończyła się jakby na zawsze. Dopiero po odejściu Niemców rozpogodziło się na nowo. Niepogoda trwała dopóty, dopóki świat dorosłych miał niemałe kłopoty.

Wróćmy do lipca 1939 roku. Dorożką udałem się wraz z matką, siostrą i z walizkami na dworzec w Krakowie. A potem koleją z Krakowa — przez Tarnów — do Rzeszowa.

W Tarnowie staliśmy na stacji nadspodziewanie długo. Ktoś wysadził w powietrze przechowalnię walizek. W przedziale mówiono, że byli to niemieccy sabotażyści. Zapanowało ogólne podniecenie, bez mała histeria. Ja również uświadomiłem sobie powagę sytuacji, ale miałem w kieszeni *Przygody Sindbada Żeglarza* w postaci komiksu. Czytałem tę książkę, słuchając jednocześnie doniesień z peronu, gdzie ludzie biegali tam i z powrotem. Krzyczeli. Bardzo byłem tym przejęty, ale równie przejęty byłem dalszym ciągiem *Przygód Sindbada Żeglarza*. Oddaje to równoległe drogi mojej wyobraźni podczas wojny. Wreszcie pociąg ruszył w dalszą drogę.

Borzęcin był mi znany od dziecka. W Kamieniu wszystko było nowe i niezwykłe. Mieszkał tam jedyny wujek z całej rodziny, którego można było nazwać bogatym. Miał młyn, tartak, „lokomobilę”, staw, dwa domy i motocykl — wszystko za obszernym ogrodzeniem. Nie ożenił się, ale miał „harem” złożony z ładnych służących i w ogóle był odmienny od wszystkich wujków. Nie truł i nie moralizował, swoje sprawy zachowywał dla siebie, a jednocześnie dawał wszystkim szansę. Wtedy widziałem go po raz pierwszy, drugi raz podczas wojny, a trzeci raz na wakacjach w roku 1949, po maturze. Niech odpoczywa w pokoju, „odmienny od wszystkich wujków".

Nieraz po wojnie czytałem różne wspomnienia, w których podkreślano, że lato 1939 było wyjątkowe. Może ponura rzeczywistość długiej okupacji nałożyła się na tę wyjątkowość, zaraz potem wywołując spóźniony efekt nostalgicznej tęsknoty i żalu. W każdym razie moje wspomnienia do nich się zaliczają. Wujek podarował mi mój pierwszy sportowy karabinek i nieograniczoną liczbę naboi, fiński nóż i władzę nad stawem z łodzią, gdzie mogłem robić, co mi się podobało, pod warunkiem, że nie będę się spóźniał na śniadanie, obiad i kolację.

Dzięki znajomościom dorosłych zorganizowano też wycieczkę do Stalowej Woli, świeżo założonej, gdzie w szybkim tempie rozwijał się przemysł zbrojeniowy.

Zbrojenia! W to mi graj! Wszystko, co dotyczyło zbrojeń, dotyczyło Polski — wszechmocnej i potężnej. Byłem w euforii. Mój slogan: „Nie damy ani guzika", był sloganem narodowym. Była to dumna odpowiedź dla Hitlera, który zażądał, by Polska wydzieliła mu neutralny korytarz między Niemcami a Prusami Wschodnimi. Na podwórku recytowaliśmy: „...A Niemcy jak świnie, zamknięci w Berlinie", i byliśmy pewni, że rozbijemy Niemców w proch.

To byliśmy my, dzieci. Ale mentalność dorosłych, choć w sprawie Hitlera charakteryzowała się infantylnością, to nie aż na tyle, żeby go w ogóle pominąć. Od wieków na naszych ziemiach wojny były dopustem bożym. Dorośli niepokoili się o przyszłość, między innymi też o nas. Uradzili więc, że dobrze by było wrócić do Borzęcina, by „na wszelki wypadek być razem w rodzinie". To była wiekowa mądrość, a w tym wypadku rodzina obejmowała skład poszerzony o wnuki, osoby dorosłe i dziadka wraz z „przyszywaną" babcią. Ale nikt nie wiedział, jakie będą losy narodów, miejscowości i osób. O tym mieliśmy się przekonać dopiero za chwilę.

Wróciliśmy więc do Borzęcina. Ja — z żalem za swobodą, jaką zostawiłem w Kamieniu, ale też z rosnącym podnieceniem powodowanym niezwykłością sytuacji. Dnia 1 września usłyszałem, jak bratowa mojej matki biegła przez ogród, krzycząc: „Julek! Wojna!".

Wojna

Na razie nasza sytuacja pozostała bez zmian. Niebo jak dotąd było bez jednej chmurki, a noce przebiegały równie spokojnie jak przedtem. Ale słowo „wojna" zostało już wypowiedziane i to przyniosło zasadniczą ulgę. Skończyła się niepewność, a to słowo, chociaż straszne, nadało przyszłości zdecydowany kierunek.

Kto mówi „wojna", ma na myśli „wojsko", a tu w dalszym ciągu brak było zarówno własnego, jak i nieprzyjaciół. Okolica była spokojna, dom także. Na stole stało radio i przy nim czuwała rodzina. Nie pamiętam już, czy zasięg radia obejmował także zagranicę. Raczej nie. Szkoda. Mógłbym wtedy przytaczać sławne przemówienia Hitlera prosto z Berlina. Za to pełno było zaszyfrowanych kodów ostrzeżenia przed samolotami niemieckimi. Próbowaliśmy złapać jakąś wiadomość o tym, co się właściwie dzieje, ale na próżno.

Najbliższą stacją radiową był Kraków. Dziś już wiadomo, kiedy Kraków wpadł w ręce niemieckie, ale wtedy gubiliśmy się w domysłach, coraz bardziej niespokojni o jego los. Dla nas wojna toczyła się tylko w eterze, przerywana od czasu do czasu nadsłuchiwaniem samolotów. Wtedy wręcz obsesyjne było nasze pytanie: oni czy nasi? Jeszcze nie wiedzieliśmy, że polskie siły powietrzne prawie nie istniały, a niemieckie poruszały się wzdłuż dróg i linii kolejowych. W parę dni później ta informacja dotarła do nas z przeraźliwą oczywistością.

Borzęcin leży oddalony o osiem kilometrów od stacji kolejowej Biadoliny. Pewnego dnia w południe doszły do nas pomruki niewidocznych samolotów od strony Biadolin i — prawie jednocześnie — odległe eksplozje. My i kto tylko mógł we wsi patrzyliśmy w tę stronę. Po półgodzinie wszystko ucichło. Co śmielsi puścili się na rowerach ku Biadolinom. Wrócili wstrząśnięci. Później nie miało to już znaczenia, ale to był pierwszy wyraźny sygnał wojny. Pociąg z uchodźcami został zaatakowany przez lotnictwo niemieckie.

Na własne oczy widzieli rannych, zabitych i wiele towarzyszących temu okropności.

Przy okazji dowiedzieliśmy się, że koleje i drogi w całej Polsce zapełniły się uchodźcami, a lotnictwo niemieckie ścigało ich do woli. Dalsze wiadomości informowały o nieopisanym bałaganie, jaki temu towarzyszył. Głębokie i wielokrotne okrążenia przez wroga ten bałagan pogłębiały. Rodzina zwołała naradę, która miała zadecydować, co robić dalej.

Już od pierwszej wojny światowej uchodźcy byli zjawiskiem naturalnym. Tak było kiedyś w Polsce. „Spalona ziemia" była także chętnie widziana przez strategów wojskowych. Toteż moja rodzina, poddana tej tradycji, była jedną z wielu rodzin w Polsce, które musiały zdecydować: uciekać czy pozostać. Na samym początku drugiej wojny światowej nie wiedzieliśmy jeszcze, że mamy do czynienia z lotnictwem niemieckim. Nie wiedzieli tego zresztą i polscy przywódcy.

Za „uciekać" przemawiał odwieczny lęk przed obcymi. Nasuwało się też pytanie, dokąd mielibyśmy uciekać. Logiczne byłoby, że „do najbliższej linii obrony". To zakładało, że najbliższa linia obrony zostanie wnet ustalona, a po zwycięskiej dla nas bitwie ruch będzie się odbywał w kierunku odwrotnym. Ucieczka bez końca nie wchodziła jakoś w rachubę.

Rodzina postanowiła, że nie uciekniemy. Argument poparto twierdzeniem: „Jak przeżyć, to na własnych śmieciach". Szczegółów nie znam, gdyż jako dziewięcioletni chłopiec nie zostałem zaproszony na naradę.

Wkrótce potem nasze wojsko — najprawdziwsze nasze — przyszło zza widnokręgu i zostało z nami przez całą noc. To wojsko było jak z bajki. Nietknięte porażką, w miarę wypoczęte i chcące się bić, przywracało nam nadzieję. Później byłem świadkiem odwrotu wojska polskiego, będącego u kresu sił, i wtedy ta różnica była widoczna.

Cały wrzesień pogoda była nieprzerwanie piękna, toteż piękny był zachód słońca, kiedy wojsko rozkładało się taborem przed nocą. Działo się to przy cmentarzu, wzdłuż którego prowadzi droga do Bielczy — wsi sąsiadującej z Borzęcinem. Przy drodze rozciągała się łąka, potem ogród, a w ogrodzie nasz dom. Zajeżdżały kuchnie polowe, gotowano strawę. Oficerowie przybyli do domu na kolację. Najstarszy z nich był w randze majora. Czuliśmy, że Polska ginie, ale jeszcze o tym nie wiedzieliśmy. Osobliwy nastrój chwilowego pożegnania, ale, Boże uchowaj, jeszcze nie rozpaczy.

Nazajutrz niebo znowu było błękitne. Na drodze u Rogożów stał samochód przygotowany do dalszej podróży. Dyrektor Rogóż był dyrektorem szkoły, osobą z wyższym wykształceniem. Oboje z żoną mieli piętrowy dom, wtedy rzadkość w Borzęcinie, i major spędził tam noc.

Samochód był nowiuteńkim, lśniąco czarnym kabrioletem ze skórzanymi siedzeniami, prawdopodobnie zarekwirowanym przez armię, i od wielu dni stał przykryty kurzem. W środku na tylnym siedzeniu dostrzegłem zwyczajne pomidory i niespodziankę: granaty. Pierwszy raz zobaczyłem mieszaninę pomidorów z żelastwem.

Niedługo potem Niemcy okrążyli położony na wschód od Borzęcina Radłów. Borzęcin w dalszym ciągu pozostał nietknięty. Radłów położony był za linią lasów ciągnących się nieprzerwanie na horyzoncie. Widzieliśmy więc tylko punkciki rakiet, które gwałtownie wzbijały się w górę, po czym opadały majestatycznie. Te punkciki, w miarę jak zapadał zmrok, stawały się coraz bardziej czerwone, zielone czy pomarańczowe. Staliśmy do późnej nocy na polnej drodze prowadzącej z Borzęcina do skrytego za lasami Radłowa. Wreszcie nastąpiła cisza. Na horyzoncie pozostała tylko ciemna linia lasu i nieco jaśniejsze niebo. Potem zawróciliśmy do domu.

Po kilku dniach doszły do nas wieści, że w Radłowie odbyła się bitwa, a raczej rzeź. Niemcy oblegli budynek szkoły, w którym broniła się garstka żołnierzy i oficerów. Potem ją podpalili. Wszyscy Polacy spłonęli żywcem.

W dalszym ciągu mieliśmy radio, ale radiostacje od strony zachodniej milkły jedna po drugiej. Wreszcie pozostała tylko Warszawa, ale Niemcy zbliżali się także do stolicy. Rząd opuścił miasto, a Niemcy byli już na przedmieściach. Prezydent Starzyński przejął obronę Warszawy.

Pamiętam to popołudnie. Trwało lato bez końca, kiedy

wszedłem do pokoju, gdzie stało radio. W domu było cicho, dorośli i dzieci gdzieś się podziali. Wszedłem i zatrzymałem się w progu.

Wuj Julian siedział na krześle, tyłem do mnie. Był bratem mojej matki, parę lat starszym od niej. Oboje byli bardzo urodziwi i później, kiedy podrosłem, chciałem być taki jak on. Traktował mnie z rezerwą i jemu zawdzięczam to, że do dzieci odnoszę się teraz jak do osób dorosłych. Ale było w nim coś, czego wtedy nie umiałem przeniknąć. Nie wiedząc, co to może być, obdarzałem go jednak pełnym respektem.

Wuj Julian słuchał komunikatu Warszawy, która kapitulowała. Siedział z głową położoną na rękach i płakał.

Bez słowa wycofałem się tyłem, a potem odszedłem do ogrodu. Pierwszy raz zobaczyłem, jak dorosły mężczyzna płacze. Nie sądzę, żebym miał to jeszcze kiedyś ponownie zobaczyć. A potem było coraz gorzej.

Przez Borzęcin szły już nie zwarte oddziały ani nawet nie luźne grupy polskich żołnierzy, tylko ludzie doszczętnie wyczerpani. Czasem z bronią, czasem już bez broni, zarośnięci i brudni, szli przed siebie — byle iść. Nie szukali już celu. Jednego z nich sobie przypominam: szedł bardzo powoli, powłócząc karabinem. Krok — karabin — drugi krok. Szedł sam jeden, inni go wyprzedzali.

Aż nadszedł siedemnasty września i Armia Czerwona wkroczyła do Polski od wschodu, idąc na spotkanie Niemcom. Te oddziały, które nie miały już wyjścia, poddawały się Sowietom albo, zrzucając mundur i zakopując broń, szły w rozsypkę. Ci, którzy mieli jeszcze szansę, szli ku Zaleszczykom przez granicę rumuńską.

Kampania zaczęła się bez wypowiedzenia wojny i tak

samo, bez kapitulacji, się skończyła. Polska po prostu przestała istnieć.

Był już październik i zaczęły się jesienne deszcze. Przy kościele, wzdłuż drogi, tej samej, która przebiegała koło cmentarza i potem przez pola aż do Bielczy, stała polska tankietka. Odsunięta na pobocze, była już od dawna opuszczona przez załogę. Wojsko, najpierw polskie, a potem niemieckie, już się tutaj nie zapuszczało.

Za to przyjeżdżali chłopi. Popalając papierosy, nieśpiesznie kręcili się przy tankietce. Najpierw wykręcili wyposażenie od środka, potem zdjęli to, co było na zewnątrz, z gąsienicami włącznie. Pod wieczór, który teraz zapadał coraz wcześniej, odjeżdżali, unosząc trofea. Wreszcie pozostały tylko mutry, nity i zakrętki, które z rzadka ktoś odkręcał, a potem już nawet tego zaniechano. Wydawało się, że tankietka, ogołocona teraz doszczętnie, pozostanie na zawsze z nami.

Ale nie. Ktoś przyjechał w parę koni, a kiedy niepostrzeżenie odjechał, tankietki już nie było na drodze.

Zaczęła się okupacja niemiecka.

Okupacja

Odtąd nie zobaczyłem już nigdy szkoły imienia Świętego Mikołaja przy ulicy Lubomirskich w Krakowie, gdzie nauczyłem się czytać i pisać. Budynek szkoły został oddany na potrzeby Wehrmachtu. Przez trzy lata kontynuowałem naukę jako jedyny „inteligent" wśród wiejskich dzieci. Najpierw uczyłem się w Borzęcinie, a potem w różnych miejscowościach. I pożal się Boże, co to była za nauka.

Francja i Anglia wypowiedziały wojnę Niemcom, a święty Antoni pokazał się stojącemu na warcie w Krakowie żołnierzowi niemieckiemu. Przepowiedział, że wojna skończy się klęską Niemców. Przytaczam te rzekome słowa, żeby wykazać, jak bardzo byliśmy naiwni. Również przepowiedni Nostradamusa i wielu innych proroków namnożyło się bez liku.

Jedną z paru niezachwianych pewności o wojnie, jakie mieliśmy podówczas, było jej niedługie trwanie. Najwyżej do początku lata i potem koniec — mówiono. A na razie można dzieci posłać do szkoły, niech nie tracą roku.

Już wtedy Borzęcin miał pięć tysięcy mieszkańców i był zaliczany do największych wsi w Małopolsce. Duża, piętrowa szkoła mieściła się w osobnym ogrodzie. Postanowiono, że zacznę uczęszczać do klasy trzeciej, odpowiadającej dziesięciolatkom. Z domu do szkoły było piętnaście minut drogi.

W tych czasach oficjalnie żadna szkoła, włącznie ze szkołami wyższymi, nie była koedukacyjna. Nie dotyczyło to jednak szkół „dla ludu". Przekonałem się o tym już pierwszego dnia, kiedy matka odprowadziła mnie do szkoły w Borzęcinie. Ten cnotliwy pomysł został wprowadzony wyłącznie w dużych miastach. Obyczajowość wsi różniła się radykalnie od obyczajowości miast. Wiejskie dziewczęta i wiejscy chłopcy dorastali razem i od najmłodszych lat wymieniali poglądy — szczere i brutalne. A dla mnie — fascynujące!

Wszystko to wytrącało mnie z równowagi. Do tej pory byłem chłopcem jak wszyscy. Darłem się, kiedy było trzeba, biegałem, kiedy była okazja. W szkole biłem się jak wszyscy, toteż chcąc wyładować podniecenie, zaczepiłem ucznia, który wydawał się niższy ode mnie. Zanim zdążyłem wykonać jakikolwiek ruch, usłyszałem huk, a potem zostałem ogłuszony. Niezdolny do akcji, odszedłem na bok. Dopiero potem uświadomiłem sobie, co się stało. Przeciwnik, uderzając płasko dłonią w szyję, obezwładnił mnie. Przez kilka dni odczuwałem ten ból. Przedtem nie przyszło mi do głowy, że wiejscy chłopcy umieją się bić tak fachowo. Zupełnie jak w powieści *Ferdydurke* Gombrowicza, kiedy to pokorny Waluś daje wreszcie w mordę jaśnie paniczowi, który go do tego zaprasza.

Dalsze lata nie przyniosły zasadniczych zmian, jeśli chodzi o moje stosunki z wiejską klasą. Zarówno w Borzęcinie, jak i w Porąbce Uszewskiej, a potem w Kamieniu nie miałem przyjaciół. Panująca w owych czasach różnica między „ludem" a „inteligencją" — nawet tak mierną, jak to było w moim przypadku — jest niewyobrażalna dla współczesnego człowieka. Mieliśmy inne skojarzenia, inne poglądy i inne perspektywy. Na szczęście „nie podpadłem". W grupach łatwo jest podpaść.

Wtedy ktoś odosobniony zamienia się w pośmiewisko dla wielu innych. Kolektyw czerpie z tego sadystyczną satysfakcję, co zawsze jest przyjemne, a przy okazji umacnia wzajemną solidarność. Zostawiono mnie w spokoju, a ja, mając zupełnie inne rozrywki, nie zaprzątałem sobie głowy „ludem". Dopiero w 1943 roku wróciłem do Krakowa i znalazłem odpowiednich kolegów.

Rodzinny dom mojej matki

Jan Kędzior sprowadził się do Borzęcina jeszcze przed pierwszą wojną światową. Przybył wraz z żoną z Rzeszowskiego, gdzie skończył szkołę mleczarską. Zachował się list od mojej ciotki, jedynej córki Jana Kędziora, która dożyła sędziwego wieku. Napisała do mnie, gdy już mieszkałem po raz drugi w Krakowie, w 1997 roku. Prawie stuletnia ciotka Janina (wkrótce potem zmarła) tak opisuje swojego ojca i swoją matkę:

„Poznali się w pociągu. Ona, prosta dziewczyna ze wsi, czytała książkę. Zaintrygowany zapytał ją o to i pobrali się".

Moim zdaniem Jan Kędzior był człowiekiem namiętnym. Świadczy o tym nie tyle jego pożycie z żoną w Borzęcinie, gdzie mieli dużo dzieci, ile jego uległość wobec kobiet. Nie znałem mojej babki. Zmarła młodo, przed moim urodzeniem. Za to znałem jego następną żonę, która, nie będę tego ukrywał, była wstrętną babą. Do jakiego stopnia ten człowiek był jej podległy, przechodzi wszelkie wyobrażenie. W jakiś czas po jego śmierci, w 1946 roku, znalazłem serię pocztówek, które pisał do niej podczas swojej nieobecności w Borzęcinie. Pocztówek prawie erotycznych, biorąc pod uwagę pruderyjne czasy, w których żyli.

Jan Kędzior nie wyglądał na libertyna. Był wprawdzie rosłym, przystojnym mężczyzną z wąsami, według ówczesnej mody, i miał bladoniebieskie oczy, w których było wszystko, tylko nie poczucie humoru i nie figlarność. Przypuszczam, że pochodząc z „półbiedy" i dochrapując się „ćwierćmajątku", jak większość niezamożnych obywateli Galicji i Lodomerii, nie miał czasu ani okazji, żeby zadawać się z kobietami. Niemniej utajona skłonność pozostała.

W Borzęcinie zbudował dom i założył mleczarnię. Dom był dziwnie mały, zwłaszcza że dziadkowi przybywało dzieci; ogród — dosyć spory, ale dom, wprawdzie murowany, zaledwie dwuizbowy. Pod tym samym dachem mieściła się mleczarnia. Dwie wirówki służyły do oddzielania mleka od śmietany, a jedna beczka do przekształcania śmietany w masło. Wszystko było napędzane ręcznie, na korbę. Zajmowały się tym młode, jeszcze niezamężne dziewczyny, co dawało okazję do nieustających i niewybrednych zalotów ze strony furmanów, którzy codziennie i licznie przyjeżdżali nie tylko z Borzęcina, lecz także z okolicznych wsi. Chłopi zawierali umowę z mleczarnią o comiesięczną dostawę mleka. Każdego dnia oddawali mleko pełne do przerobu i w zamian za to dostawali chude. Jednocześnie w prymitywnym laboratorium mierzono procent tłuszczu w mleku. Wszystko to działo się od wczesnego świtu do późnych godzin popołudniowych, w zgiełku i ogłuszającym hałasie maszyn, koni i przede wszystkim ludzi. Dochodziło do scen, w których obie strony próbowały udowodnić swoje racje. Chłopi, jak to chłopi, utrzymywali, że mleko, które oddali, było wyjątkowo tłuste, a właściciel mleczarni, że wyjątkowo chude.

Kiedy się urodziłem, taki był stan rzeczy. Dodaję, że urodziłem się nie w budynku głównym, tylko w stojącym opodal niego domu wynajętym przez gospodarzy. Mój ojciec i matka

Zdjęcie ślubne moich rodziców,
Zofii Kędzior i Antoniego Mrożka

Moja matka.
Zdjęcie
przedwojenne

Zdjęcie mojej matki przed ślubem,
z panami, którzy bardzo jej się nie podobają

Moja matka
w sanatorium,
tuż po wojnie

Zdjęcie
mojej matki.
Poronin

Moja matka
(z prawej)
w Zakopanem

Zdjęcie przedstawiające mojego ojca i opodal moją matkę
pod rękę z drugą, nierozpoznaną przeze mnie kobietą

Moja matka. Ostatnie zdjęcie

Mój ojciec na ćwiczeniach rezerwy (po prawej)

Mój ojciec na starość

Siedzą od lewej: druga żona dziadka Kędziora, Wiktoria Kędzior z Grzesiem Fenglerem, dziadek Jan Kędzior, jego córka Janina Fenglerowa z synem Andrzejem. Siedzą na ziemi od lewej: moja matka z córką Litosławą, ciotka Niusia z córką Bożeną. Po prawej stronie: Leon Fengler i mój ojciec. Zdjęcie tuż przed wojną

Moja matka oraz wujek Ludwik Kędzior
w otoczeniu nieznajomych

Stoją od lewej: moja siostra, ciotka Hela Mrożek, ksiądz Władysław Mrożek, żona Andrzeja Mrożka, Anna Mrożek. Siedzą na krzesłach: babcia Julia Mrożek i dziadek Ignacy Mrożek. Siedzą na ziemi: Andrzej Mrożek, Antoni Mrożek, Jan Mrożek. Zdjęcie powojenne

Borzęcin przed wojną

Ja jako dziecko, przed wojną, w Borzęcinie. Obok moja matka. W kolejności od lewej: siostra mojej matki, Janka, pani Rogożowa, nieznani mi pani i pan, i pan Rogóż

wynajmowali ten dom, co stało się możliwe dzięki objęciu przez ojca posady kierownika urzędu w Borzęcinie. W tym domu przebywał już mój brat, dwa lata starszy ode mnie. Co się działo przed moim urodzeniem — nie wiem, ale bardzo jestem ciekaw. Przypuszczam tylko, że mój dziadek, prowokowany przez swoją drugą żonę, nie dopuścił do zamieszkania w jednym domu. Ale też jest możliwe, że mój ojciec i moja matka chcieli zamieszkać osobno. W każdym wypadku coś było na rzeczy z powodu mezaliansu, którego miała się dopuścić moja matka.

Kilkadziesiąt lat temu chorobą najczęściej spotykaną w Borzęcinie była gruźlica. Może przyczyną było to, że ludzie pobierali się i umierali w tej samej wiosce. Przekonał się o tym poniewczasie Jan Kędzior, który przybył z daleka do Borzęcina i założył tam rodzinę. Na gruźlicę umarła jego żona, dwie córki i dwaj synowie. Wszyscy byli bardzo młodzi. On sam także zmarł na tę chorobę. Przy życiu pozostała wspomniana już jego córka Janina oraz syn Kazimierz, który dożył podeszłego wieku. Rzecz ciekawa, oboje byli nauczycielami i oboje przebywali poza Borzęcinem.

Śmiem twierdzić, że małżeństwo mojej matki z moim ojcem uratowało ją od gruźlicy. Nie na długo, na jakieś dwadzieścia lat, ale spędzonych poza Borzęcinem i przede wszystkim z dala od ojca tyrana i macochy, która nim kierowała. Matka umarła, mając czterdzieści dwa lata.

Drugim potencjalnym kandydatem na dziedzica mojego dziadka był starszy brat mojej matki, Julian. Mało wiem o jego życiu. Dodajmy od razu, że był on kandydatem opornym, który wcale nie chciał kandydować, ale wreszcie potrzeba skłoniła go do pozostania przy mleczarni. Niechętnie chodził na jakiś kurs i przez pewien czas pracował u swego ojca jako laborant. Już od wczesnej młodości pochłaniał książki. Tajemnicą dla mnie było jego małżeństwo, zdaje się, niezbyt udane. Miał córkę, jedynaczkę. Wreszcie wycofał się z życia, już w czasie wojny. Robił tylko to, co do niego należało, ale nic poza tym. Odwiedziłem go przy jakiejś okazji w osobnym pokoiku przy mleczarni. Leżał na łóżku z podwójną poduszką pod głową, zarośnięty, i palił papierosy. Obok leżał stos książek i mnóstwo niedopałków. Mówił do mnie uprzejmie, a oczy jego były nieobecne. Miał gruźlicę i nie dbał o to. Myślę, że pod pretekstem gruźlicy popełniał powolne samobójstwo w ostatnim roku wojny.

Bardzo lubiłem jego przyjazdy do Krakowa jeszcze przed wojną na Kielecką. On i moja matka, gdy tylko mogła się uwolnić od codziennych obowiązków domowych, rozmawiali ze sobą godzinami. Byli to ludzie pod wieloma względami wyjątkowi. Między innymi — łączyły ich książki.

Znajomość mojej matki z moim ojcem, zakończona małżeństwem, zaczęła się romantycznie, bo przypadkowo. Oto jak do tego doszło. Przedsiębiorstwo Jana Kędziora rozwijało się pomyślnie. Jego masło zaczęło regularnie docierać do Krakowa. Każdego dnia skrzynki jechały furmankami do Biadolin, około ośmiu kilometrów od Borzęcina, a stamtąd koleją do Krakowa. Ktoś musiał być na poczcie w Borzęcinie każdego dnia, żeby załatwić formalności przewozowe. To była ona. A kierownikiem poczty był on. Ona miała dwadzieścia lat, on dwadzieścia trzy. Pochodził z Porąbki Uszewskiej, podgórskiej wioski leżącej szesnaście kilometrów na południe od Borzęcina. Był synem — i tu wkrada się mezalians, który wielokrotnie psuł im życie — ubogiego chłopa. Świadków już nie ma, ale póki byli, twierdzili zgodnie, że była to miłość od pierwszego wejrzenia.

Mój dziadek, Jan Kędzior, był kutwą, który chciał zrobić majątek, wykorzystując swoje dzieci. Sprzyjało temu erotyczne szaleństwo, podniecane przez jego drugą i wredną żonę. Z moich domysłów wynika, że moja matka, gdy skończyła szkołę, próbowała pójść w świat. Przy pomocy dalszych krewnych zamieszkała w Poznaniu, w internacie, gdzie chodziła do szkoły handlowej i na kurs stenografii. Z tego czasu datują się wspomnienia o życiu nareszcie bujniejszym, niż dostępne jej było w Borzęcinie. Nagłe znajomości, przyjaźnie, kawiarnie, teatr... Te zdolności aktorskie, które mam, jak również poczucie humoru zawdzięczam jej. Z tego też okresu pochodzą piosenki z lat dwudziestych, które pamiętam do dzisiaj. Miała świetny słuch i śpiewała chętnie w owych latach mojego dzieciństwa.

Najprostszym dla niej wyjściem było jak najszybciej wyjść za mąż. Pretendentów było aż nadto. Matka była piękną kobietą. Ale na razie o tym nie myślała. Była bardzo młoda, pełna ufności i życia, otwarta na świat.

Przypuszczam, że moment, w którym wróciła do domu, by nadal pracować w przedsiębiorstwie swojego ojca, był momentem rezygnacji, nie wiadomo czym spowodowanej. Od tego czasu minęło wiele lat. Wszyscy świadkowie tych wydarzeń, oprócz mnie, już nie żyją. Sądzę, że powodem jej powrotu był moralny szantaż ze strony mojego dziadka, gdyż właśnie wtedy umarła, mając zaledwie czterdzieści cztery lata, jego pierwsza żona. Potem dopiero dziadek sprowadził do domu swoją nową małżonkę. Jego córka miała więc zastąpić swoją matkę w obowiązkach domowych. Ale uległa swojej pierwszej, wielkiej miłości i pokrzyżowała zamiary dziadka.

Polska zmartwychwstała po długiej niewoli w 1918 roku i wtedy powstał urząd pocztowy w Borzęcinie. Ale urząd pocztowy, w dodatku taki, który potrzebuje kierownika, jest urzędem poważnym. Jest niemożliwe, żeby dwudziestotrzyletni młokos tej rutyny nabył w ciągu tak krótkiego czasu. A może to jest możliwe? Przypatrzmy się biografii mojego ojca.

Rodzinny dom mojego ojca

Porąbka Uszewska leży na południe od linii kolejowej Kraków–Tarnów. Po przekroczeniu tej linii teren podnosi się i Porąbka leży już na pogórzu, w kierunku na Gorce. Wieś ułożona jest wzdłuż rzeki, pomiędzy dwoma sporymi i stromymi górami, zwanymi Bocheniec i Głodów. Zagroda dziadka znajdowała się na południe od Głodowa i patrząc z góry na kościół oraz na plebanię koło rzeki, po jej drugiej stronie widziało się każdy szczegół i figurki ludzi.

Zagroda nie była duża. Pod jednym dachem, krytym słomą, mieściła „komorę", oborę dla obu krów, kuchnię, izbę — a po przejściu przez sień — izbę reprezentacyjną, tę z widokiem na kościół w dole. Tylko izba i izba odświętna miały podłogę. W innych pomieszczeniach było klepisko. Z zewnątrz zagroda była malowana na bladoniebieski kolor, przecinała ją polna droga, a w ogródku rosły kwiaty.

Moje najwcześniejsze wspomnienia dotyczą wiejskiej zagrody, w której widzę siebie w wieku około trzech lat w towarzystwie mojej babki. Lubiłem moją babkę, miałem do niej zaufanie. Mała, drobna, wiecznie zatroskana, niezmiennie w zawiązanej pod szyją chusteczce na głowie. Była prostą kobietą, zdaje się, że nawet nie umiała czytać. We wspomnieniach obok domu nieodłącznie pojawia się kościół, a na jego tle ksiądz proboszcz i ksiądz wikary. I słusznie, ponieważ mój dziadek był kościelnym.

Mój dziadek, Ignacy Mrożek, i moja babka, Julia Mrożek z domu Niemiec, pobrali się w roku 1902. Mój ojciec był ich najstarszym dzieckiem. Jak daleko sięgam pamięcią, dziadek był kościelnym, ale inni twierdzili, że nie zawsze tak było.

Mrożkowie byli w Porąbce Uszewskiej co najmniej od czasów Marii Teresy, cesarzowej austriackiej. Tak przynajmniej wynika z opowiadań Ignacego, który zasłyszał je z kolei od swojego ojca. Ongiś byli to kmiecie wzrostu mniej niż średniego, a przy tym bardzo krzepcy. Siedzieli w karczmie, mało co mówiąc i pijąc na umór. Z czasem kmiecie zostali zredukowani do chłopów, a potem podupadli zupełnie. Przez kilka lat Ignacy Mrożek był górnikiem po czeskiej stronie, a potem wrócił do Porąbki i się ożenił. Wtedy to plebania zaproponowała mu układ, na mocy którego otrzymał trzy morgi gruntu pod uprawę. W zamian za to miał służyć jako kościelny.

Życie kościelnego skupiało się przede wszystkim wokół kościoła. Kościelny najpierw troszczył się o święte sprawy, a potem dopiero spełniał obowiązki cywilne. W związku z tym pracował podwójnie, jednak nie słyszałem od niego przez całe życie ani słowa skargi. Stale był pogodny. Co więcej, nie słyszałem też, aby cokolwiek mówił podniesionym, pełnym irytacji głosem. Rzecz rzadka zarówno w jego własnej rodzinie, jak i na polskiej wsi.

Nie był również pijakiem. Przez pijaństwo rozumiem zamroczenie alkoholem co najmniej raz w tygodniu. Ale lubił się napić, a to jest różnica. Szczególnie po Bożym Narodzeniu, kiedy wracał późno do domu po ostatniej z rzędu kolędzie. Wszyscy już spali albo udawali, że śpią, a on w białej komeżce sięgającej do krzywych butów z cholewami, mały, drobny i łysawy, tańczył po izbie, podśpiewując: „Teraz będzie Żyd tańcował, diabeł króla już pochował". Przy czym „król" — znaczyło: król Herod.

Lubiłem w kościele dzwonić na Anioł Pański. Z uwagi na to, że byłem jeszcze mały, dziadek sam uderzał w dzwony, a ja, poniżej niego, ciągnąłem tylko za sznur.

Lubiłem jeździć wieczorem do młyna. Droga wiła się tuż przy rzece, wóz był zaopatrzony w półkoszki, a cierpliwe krowy z wolna mnie usypiały. Tak, krowy, bo dziadek, będąc biedniejszy od okolicznych chłopów, używał krów, a nie koni. Za to były dwie krowy.

W tych warunkach zostało zrodzonych pięciu synów i dwie córki. Niektórzy z nich przynosili chlubę rodzicom. Andrzej, obdarzony niezwykłą siłą fizyczną i bujną, wódczaną przeszłością, ustatkował się i dzięki poparciu mojego ojca został monterem przy telefonach. Pamiętam, że pomagałem mu, jako uczeń gimnazjum, rozwiązywać zadania matematyczne. Już na emeryturze okazało się, że grozi mu stopniowe kalectwo (choroba Bürgera), ale codziennie wypijał ćwiartkę przepisaną mu przez lekarza. Umarł już bez obu nóg. Lubiłem go najbardziej.

Kazimierz, o którym niewiele można powiedzieć, w młodości przebył zapalenie opon mózgowych, a potem uchodził za „głupiego". Nie zgadzam się z tą opinią. Wcześnie odkrył nędzę świata. Stale pracował, ale wyłącznie z daleka od ludzi. A gdy nie pracował — znikał i nie można go było odnaleźć. Odosobnienie było jego namiętnością. Umarł, nim skrzyżowały się nasze przeznaczenia.

Jan, który marzył o mieście, poszedł też do Krakowa. Miał podobno zostać cukiernikiem, ale skończył jako pośledni urzędnik na poczcie, w dziale „paczki". Był przystojny, uduchowiony, ale życie miał poplątane. Rozpił się na poczcie i zmarł tragicznie w latach siedemdziesiątych. Pozostawił po sobie dwoje dzieci.

Pamiętam, jak mi opowiadał w czasie wojny nieme filmy o bohaterze westernu, który zwał się Tom Mix. Kiedy mówił o pierwszym ukazaniu się Toma Miksa (biały koń, biały kapelusz, biały fular, biała kamizelka i białe rękawiczki), widać było, że wszystko by oddał za tę niepokalaną białość, za to dziecinne marzenie.

Władysław, najmłodszy z rodzeństwa, został tuż po wojnie wyświęcony na księdza. Obecnie jest już na emeryturze i przebywa w domu wypoczynkowym oo. jezuitów.

Anna była najbardziej uparta i konsekwentna w dążeniach. Od dziecka miała zamiar ukończyć studia wyższe, w tym przypadku filologię klasyczną, i zostać nauczycielką. Kosztem wielu wyrzeczeń dopięła swego. W okresie komunizmu, zagrożona utratą posady, skończyła germanistykę i nauczała dalej. Jest obecnie przeszło osiemdziesięcioletnią emerytką.

Helena całe życie poświęciła dla rodzeństwa. Gotowała, sprzątała, aż zmarła.

I wreszcie — Antoni Mrożek, najstarszy z rodzeństwa. Urodzony w 1903 roku, zaczął od pasania krów, a później, wynajmując się do roboty u sąsiadów, zaoszczędził parę groszy i po skończeniu szkoły podstawowej udał się do Brzeska, miejscowości odległej od Porąbki Uszewskiej o dziesięć kilometrów, żeby kontynuować edukację. Uczynił to podobno bez zgody rodziców. Wynajął tam stancję — popularną w owych czasach wielołóżkową kwaterę dla studentów spoza miasta.

W roku 1920, mając siedemnaście lat, poszedł na ochotnika na wojnę polsko-bolszewicką. Lenin miał dalekosiężne plany przebicia się do Niemiec, gdzie trwała rewolucja, a potem utworzenia światowego imperium. Polska mu przeszkadzała.

Mój ojciec przebył drogę z Brzeska do Kijowa i z powrotem. Jako siedemnastoletni rekrut bez żadnego wojskowego wykształcenia trafił do piechoty. Opowiadał mi przy paru okazjach swoją wojnę. Długie marsze, potyczki, bitwy, często na białą broń, wzajemne wyrzynanie się jeńców były dla niego jak sen, który przeżył bez szczególnego wrażenia. Po demobilizacji nie wrócił do Brzeska. Niewiele wiem o tym, co działo się z nim od czasu moich narodzin. Tylko dwie rzeczy są pewne: przez jakiś czas było mu bardzo ciężko i prawie na pewno nie zdał matury.

Jakimi więc drogami i z jakich przyczyn stał się kierownikiem urzędu pocztowego w Borzęcinie, i to w tak młodym wieku? Matura była surowo wymagana przy awansie społecznym od roku 1930, który jest jednocześnie rokiem mojego urodzenia, aż do drugiej wojny światowej. Pozostaje więc jedno wyjaśnienie — mój ojciec miał szczęście, nieprawdopodobne szczęście. Szczęście oraz swego rodzaju zdolności. Przez całe życie był wzorowym urzędnikiem na poczcie. Jego droga służbowa świadczy o tym, że awansował, z przerwą na okupację, aż do roku 1950. Wtedy wszystko w Polsce się odwróciło i został wyrzucony za sumienność, protestował bowiem, kiedy zwyczajny złodziej, którego złapał przed wojną na kradzieży, został dyrektorem poczty. W parę lat potem został przyjęty ponownie.

Nie należał do żadnej mafii, jak by się to dzisiaj nazywało. Nie był legionistą, nie należał do Bezpartyjnego Bloku Współpracy z Rządem, do sanacji, ONR-u, socjalistów (broń Boże!) ani w ogóle do żadnych ugrupowań. Był typowym Polakiem, który na wszystko mówi „nie". Lubił przemawiać przy wódce w gronie kolegów na każdy temat, byle wystarczająco ogólny. Jego ignorancja była kompletna. W dodatku przemawiał z poczuciem szlachetnego oburzenia. Nawet anarchistą nie był, bo to zakłada jakiś światopogląd.

Gdy się mówi, że ktoś ma szczęście, dodaje się — ...do ludzi. To szczęście on miał. Publicznie mógł być czarującym człowiekiem i przeważnie, ku mojemu zdumieniu, był. Co innego w domu, gdzie czuł się nieswojo. Nieustannie potrzebował publiczności. Im bardziej intymne były jego kontakty, tym pilniej odczuwał potrzebę, żeby wyjść gdziekolwiek, a już najchętniej do knajpy. W knajpie był królem życia. Uwielbiał urodziny, imieniny, święta i wszystko, co by mu pozwoliło wypełnić dom obojętnymi, byle jakimi ludźmi. Tylko że taki poziom stosunków międzyludzkich nie wystarczał mojej matce. Pod koniec jej krótkiego życia, z którego parę lat spędziła w sanatorium, ogarnęła ją rezygnacja względem człowieka, którego kiedyś kochała. Ale do ostatniej chwili przejawiała wobec niego takt i wyrozumiałość.

Miał również szczęście do kobiet. Był przystojny, ale to jeszcze nie załatwiało sprawy. Kiedy w Borzęcinie rozeszło się, że kierownikiem poczty został młody kawaler, wszystkie panie dostały gorączki. Tak przynajmniej świadczą, w bardziej oględnych słowach, listy pani Rogożowej, mojej stuletniej ciotki czy zasłyszane opowieści innych pań. A kiedy wkrótce stało się wiadome, że jego ślub z moją przyszłą matką został już wyznaczony, wszystkie dziewczyny jej pozazdrościły. Prawdopodobnie była to ostatnia miła wiadomość dla mojej matki. Kiedy miał umierać, poprosił mnie, żeby zawiadomienie o jego śmierci ukazało się w gazecie. Komunizm już się sypał, nadciągała Solidarność. Określiłem go jako „uczestnika wojny w 1920 roku" i spełniłem jego prośbę dzięki „Tygodnikowi Powszechnemu", ponieważ inne gazety nie przyjmowały nawet tak ostrożnego anonsu. Przed śmiercią coś go trapiło, ale nie umiał sobie tego uświadomić. Jego pożycie z moją matką trwało krótko, a ja byłem za mały, żeby w tych sprawach mieć zdanie, a potem byłem już zbyt zajęty sobą. Wydaje mi się, że brak cynizmu ratował go w jej opinii, przynajmniej przez pewien czas. Była w nim pewna dziecinność, prostota, z której sam nie zdawał sobie sprawy. Mnie jego dziecinność niewiele wzruszała, ale cenię go za uczciwość. Ostatecznie dopełnił swoich podstawowych obowiązków wobec dzieci i — jako tako — wobec żony. Aż do końca kochał ją po swojemu, to znaczy — nie rozumiejąc niczego.

O moim ojcu wiem bardzo mało. To bierze się nie z tego, że mało mówił, przeciwnie, mówił bardzo dużo, ale tylko na wybrane tematy. Inne tematy upiększał, a gdy był nietrzeźwy, upiększał je wręcz do absurdu. Z czasem osiągnął w tym perfekcję. U kresu życia wszystko wydawało mu się bajką opowiadaną przez dobre krasnoludki.

Rozstałem się z nim na trzy lata. On miał wtedy lat czterdzieści osiem, a ja dwadzieścia jeden. Wybaczyłem mu wszystko, między innymi i te fantazje. Zdałem sobie sprawę, że od dziecka doświadczał poczucia mniejszej wartości i nigdy się od tego nie wyzwolił. Początki tej mniejszej wartości sięgały czasów, kiedy zamieszkał w Brzesku. Wtedy wprost z wiejskiej chałupy przeniósł się do nowych warunków. Jakich nowych? O tym nie mówił nigdy.

Jesień 1939 (ciąg dalszy)

Stałem w ogrodzie w pochmurny, posępny listopadowy dzień, gdy ktoś przyniósł mi wiadomość, że wrócił mój ojciec.

Wrócił nie do poznania zmieniony. W byle jakiej jesionce, zarośnięty, wychudły i miał w oczach coś, co dopiero z czasem nauczyłem się rozpoznawać: klęskę. Była to klęska całego narodu, taka, która przewracała w jego życiu wszystko, cokolwiek zbudował. Przypominał mi wujka Juliana, który przed miesiącem płakał, słuchając pamiętnego Radia Warszawa. Ta klęska zapowiadała późniejsze pojawienie się wuja Kazimierza, który zmobilizowany jako porucznik walczył w obronie Warszawy i wrócił w przebraniu do tego samego domu. Odtąd widoczna była na twarzach wszystkich mężczyzn w Polsce. Okazało się, że ojciec dojechał ze swoim ambulansem do Lwowa, aby — po ujawnieniu paktu Ribbentrop-Mołotow i ogólnym rozprzężeniu — zawrócić i przyjść do domu pieszo. Szczegółów nigdy nie poznałem. W owych czasach dorośli nie zwracali uwagi na dzieci, a dzieci słuchały dorosłych tylko ukradkiem, a potem nadrabiały wyobraźnią.

Uradzono, że ojciec nie ujawni się jeszcze Niemcom jako urzędnik pocztowy. Zostanie w Borzęcinie, czekając na rozwój wypadków. A sytuacja była taka, że Anglia i Francja wprawdzie wypowiedziały wojnę Niemcom, ale wyłącznie

„stały w pogotowiu". Związek Radziecki podbijał dzielną Finlandię i nie mógł jej nijak podbić, a reszta czekała, co zrobi Hitler. Zapowiadała się ostra zima. Jedna z tych ciężkich wojennych zim, w których temperatura przekracza minus czterdzieści stopni.

Tymczasem nasza rodzina gromadziła się w Borzęcinie. Z Inowrocławia przybyła moja ciotka wraz z mężem i dwojgiem drobnych dzieci. Zostali wyrzuceni z własnego domu w ciągu paru godzin, tak jak stali. Jej mąż, nazwiskiem Fengler, spolszczony Niemiec, uciekał przed Reichem, unikając statusu volksdeutscha. Razem było nas już sześć osób dorosłych i sześcioro dzieci — mnie licząc jako dziecko — na jeden dwuokienny pokój, dwa łóżka i maleńką kuchnię. W kuchni rozkładano na noc posłanie, ale ciasnota była wielka. Dziadek i jego żona mieszkali osobno, w pokoju oddzielonym od naszej części werandą i drugimi drzwiami. Stosunki między nami były chłodne. Co chwila drzwi od „tamtego" pokoju otwierały się i ukazywała się w nich „żona ojca", a mojego dziadka. Przechodziła przez nasz pokój, wchodziła po trzech stopniach do kuchni, stawała przy piecu, coś gotując, a następnie wychodziła z powrotem i znikała za drzwiami. Gotowanie przy piecu było wspólne, choć niejednakowe dla nich i dla nas. Jadali w osobnym pokoju, do którego nikt z nas nie miał wstępu.

Przez pięć lat wojny, zimą i latem, żona dziadka miała na sobie burą kominiarkę spiętą pod szyją. Była niska i gruba, o rozdętym z powodu jakiejś choroby podgardlu i o bladoniebieskich wyłupiastych oczach. Pod względem oczu dziadek był identyczny, za to w przeciwieństwie do niej był wysoki. Idąc i wracając wiele razy dziennie, mówiła pod nosem tylko jedno: „Boże — Boże — Boże". Oznaczało to wołanie do Chrystusa i prośby: „Cierpliwości — cierpliwości — cierpliwości". To znaczy, cierpliwości w stosunku do nas wszystkich. Od tej pory aż do dzisiaj cenię obszerne i samodzielne mieszkania.

W tymże samym roku, zimą, a potem wiosną, nie mając żadnych rówieśników ani dorosłych przyjaciół, odkryłem książki i zacząłem je czytać. Najpierw były to książki stojące na etażerce w pokoju przechodnim między pokojem dziadka i naszym, a później książki, które odnalazłem na strychu i w sąsiednim domu, u pani Rogożowej. Szczególnie w pamięci utkwiło mi dwadzieścia kilka grubych i ciężkich tomów wydanych przed pierwszą wojną światową w Wiedniu. Książki te zawierały całą historię świata od samych jej początków aż do wojny burskiej przeciwko Anglikom w Afryce u schyłku dziewiętnastego wieku. Wszystkie tomy były oprawione w ciemnobrązową skórę z mnóstwem ozdobników na ówczesną modłę. W środku, już wtedy pożółkłym, był tekst drobno drukowany oraz drzeworyty, sztychy, obrazy, kopie ogólnych bitew i portrety królów i mężów stanu. Każdy tom nosił uroczyste i dawno zapomniane nazwiska utytułowanych profesorów, którzy niegdyś tę historię redagowali. Oprócz książek z etażerki były też roczniki katolickich tygodników i nade wszystko nowo odkryty skarb: *Ogniem i mieczem*, *Potop* i *Pan Wołodyjowski*.

Książki na strychu były najrozmaitsze. Podręczniki do fizyki i chemii z lat dwudziestych — zapomniane świadectwa po liceum pedagogicznym wuja Juliana, wuja Kazimierza i ciotki Janiny. Do dzisiaj pamiętam zasady maszyny parowej wyłożone w tym podręczniku czy sposób na obliczanie „ciała swobodnie spadającego". Były też powieści. Powieść *Kapitan Fracasse*, zdekompletowana. Powieści Andrzeja Struga, a także jakaś frywolna opowiastka w wydaniu groszowym z ilustracjami, dzisiaj naiwnymi, wówczas pikantnymi, również z francuskiego tłumaczona. I wiele innych, rozmaitych, porzuconych w pełnym rozgardiaszu.

Dom pani Rogożowej, w sąsiedztwie, należał do wdowy po kierowniku szkoły i zawierał zaskakującą liczbę książek, należących do szkoły podstawowej. Na mansardzie w kilku szafach mieściło się ich parę tysięcy, głównie dla młodzieży. Po błyskawicznym zwycięstwie Niemców kraj był sparaliżowany. Jak co roku, szkoły miały wznowić działalność 1 września. Teraz był już listopad, a szkoły dopiero zaczęły się organizować. Ale wiele pytań pozostawało na razie bez odpowiedzi. Na przykład, jaki będzie los książek w języku polskim? Czy będą ocenzurowane? Na wszelki wypadek trzymano je w szafach, ku mojej wielkiej radości.

Czytałem te książki od wczesnego popołudnia, kiedy wracałem ze szkoły, aż do zmierzchu, który w listopadzie zaczynał się koło godziny czwartej, a przy pochmurnej pogodzie już o drugiej. Potem zapalała się lampa naftowa. Czytałem z przerwą na kolację, aż do pójścia spać. Czytałem nie tuż przy lampie, ale w pewnym oddaleniu, w kręgu słabnącego światła. Lampa naftowa była zastrzeżona przeważnie dla kobiet, które musiały doglądać gotowania w kuchni, przy piecu. Sześć osób dorosłych i pięcioro dzieci w wieku od jednego do czterech lat przebywało ze mną w jednej izbie, ale ja nie zwracałem uwagi na nikogo. Dzięki książkom czułem się panem przestrzeni. I pewnego razu nagle oślepłem.

Do tej pory nie wiem, co to było. Myśl o lekarzu w Borzęcinie, co więcej, o lekarzu specjaliście, była wtedy tak absurdalna, że nikomu nie przychodziła do głowy. Nie było żadnego lekarza w promieniu sześćdziesięciu kilometrów. Leżałem nieruchomy, moja matka zmieniała mi okłady z rumianku na oczach. Poleżałem tak parę dni i wreszcie ślepota zaczęła stopniowo ustępować. Była już wiosna, świat wydawał się nie taki zły, zapomniałem o epizodzie. W trzy lata później, już w Krakowie, matka zauważyła, że źle widzę. Poszła ze mną do ubezpieczalni społecznej, zdaje się, że na Batorego. W wyniku badania okazało się, że w ciągu trzech lat wzrok mi się pogorszył, i otrzymałem moje pierwsze w życiu okulary.

Nawet dzisiaj każdy Polak wie, że wszelkie ubezpieczalnie społeczne nastręczają pacjentom więcej kłopotu niż prywatne leczenie. Tym bardziej w czasach wojny. Moja matka zdobyła dla mnie po wielu trudach te okulary, ale były to jeszcze okulary przedwojenne. Rogowe, okrągłe i tandetne. Innych wtedy nie było. Po pierwsze, dlatego że wojna jeszcze trwała przez trzy lata, a po drugie, dlatego że nawet po wojnie w Polsce w wyniku socjalizmu „przejściowe trudności" utrzymywały się bardzo długo. Ale ja rosłem bez przerwy, a okulary pozostawały bez zmian na moją pierwotną dziecięcą miarę. Potem pękły i skleiłem je hansaplastrem (niemiecko-polskie słowo, wtedy często używane). Zmieniłem okulary na właściwe dopiero po wojnie, kiedy miałem dwadzieścia jeden lat i zaczęło mi się lepiej powodzić. Piszę o tym, żeby przypomnieć, na jakie utrudnienia, a niekiedy nędzę, byliśmy wtedy skazani.

Z lękiem czekaliśmy na Hitlera i Hitler nas „nie zawiódł". Dnia 10 maja uderzył na Francję i rozniósł ją w ciągu dwóch miesięcy. Tylko kilka dni trwała nasza euforia, a potem nadchodziły coraz gorsze wieści, aż nadeszła wieść o kapitulacji Francji. Sytuacja stała się poważna, gdyż Francja była jedynym europejskim krajem przeciwstawiającym się Niemcom, a teraz to się skończyło. Anglia nie bardzo się już liczyła. Rosja była w przyjaźni z Niemcami, Ameryka była jeszcze neutralna. Wojna się wydłużała i coś trzeba było z nami zrobić. Postanowiono, że wszyscy czworo znowu pojedziemy do Kamienia. Na tę decyzję bez wątpienia wpłynęła ciasnota w Borzęcinie. Dłużej nie dało się już tego wytrzymać. Ale myśląc o tym z dzisiejszej perspektywy, znajduję pewną logikę, która działa nieubłaganie niezależnie od wojen i innych zewnętrznych okoliczności. Tylko dwojga ludzi potrzeba, aby ta logika się dokonała.

Dopiero w porównaniu z Kamieniem dostrzegłem, jak nienormalna była nasza sytuacja w Borzęcinie, pomimo że obaj właściciele posesji nosili to samo nazwisko. Młodszy, Ludwik Kędzior, był bratankiem starego Jana Kędziora. Stary Kędzior był pod sześćdziesiątkę, a młody miał trzydzieści osiem lat. Stary Kędzior był znienawidzony przez okolicznych chłopów, a młody cieszył się ich sympatią. Stary Kędzior miał drugą żonę — potwora, a młody, oprócz tego, że posiadał harem przystojnych gospodyń, związał się z równie przystojną osobą, swoją rówieśniczką, inteligentną i wykształconą, która przebywała z nim stale, w jednym z dwu domów w jego posiadłości. Stary Kędzior był skąpcem, młody miał szeroki gest. Również stosunki międzyludzkie układały się odmiennie w obu posiadłościach. Stary Kędzior za jedyną towarzyszkę życia miał drugą żonę. Nie lubili go chłopi, którzy u niego pracowali. W domu młodego Kędziora było zupełnie inaczej.

Ksiądz proboszcz, którego kościół znajdował się nieco powyżej ulicy, a plebania w pobliżu, co najmniej raz dziennie wpadał na pogaduszki. Spotykał tu oficera niemieckiego, artylerzystę, a w cywilu szachistę, po służbie pogrążonego w grze ze stryjem Ludwikiem. Niepisane prawo głosiło, że wszelkie dyskusje polityczne były zabronione i proboszcz, również szachista, zastępował stryja. Przychodzili też leśnicy. Stryj do czasów wojny miał w drugim domu dwie szafy wszelakiej broni myśliwskiej, którą zmuszony był oddać najeźdźcom, o czym wszyscy wiedzieli. Przed wojną polował w lasach hrabiego Tarnowskiego, zgodnie z umową dzierżawczą. Nie wiem, o czym ci leśnicy z nim rozmawiali, ponieważ za każdym razem, gdy przychodzili, musiałem wyjść i bawić się na otwartym powietrzu. Przychodzili majstrowie od tartaku i młyna omawiać praktyczne problemy. Przychodzili niezwiązani ze służbą znajomi, niekiedy aż z Rzeszowa, żeby pogadać. I wreszcie do domu nad stawem przychodziły różne dziewczyny.

Stryj Ludwik miał bowiem trzy domy, a właściwie to dwa i pół. Pierwszy dom niedaleko ulicy, opatrzony masywną bramą, pochodził z dziewiętnastego wieku. Pokryty był strzechą, siwym wapnem i miał niewielkie okiennice. Ale w środku był wygodny. Wielka, bez porównania większa niż w Borzęcinie i dobrze wyposażona kuchnia była ośrodkiem, w którym koncentrowało się życie domu. Tutaj przychodzili wszyscy, którzy mieli cokolwiek do załatwienia, i wielu z nich zasiadało do stołu, ponieważ stryj Ludwik był smakoszem i lubił towarzystwo.

Dom był podzielony sienią. Kuchnia mieściła się z prawej strony, a z lewej — trzy pokoiki. Po drugiej stronie obejścia stał obszerny piętrowy tak zwany spichlerz, w którym przechowywano wszystko, tylko nie zboże. Szyny kolejki wąskotorowej zaczynały się tuż przy spichlerzu i biegły przez cały teren aż do stawów. Kolejka była potrzebna do transportu desek z tartaku i w ogóle do wszystkiego, czego nie opłacało się nosić, na przykład do przewożenia worków z mąką albo z ziarnem.

Po drodze mijało się parterowy budynek przeznaczony na zapasowe części do motocykli. Dalej stał młyn. Był to budynek piętrowy, sczerniały, z oknami zabezpieczonymi siatką. Obok rozciągał się obszerny majdan dla wozów i koni. Do młyna — tak że jego bok był częścią ściany — przylegał apartament stryja Ludwika.

Obchodząc dookoła, można było zajrzeć po drodze do potężnej maszyny parowej. Było to serce młyna i tartaku. W piecu paliło się trocinami, których zwały piętrzyły się w bezpiecznej odległości. W tartaku przerabiano pnie drzew na deski za pomocą piekielnej maszyny. Panował potworny hałas, przez który żaden głos by się nie przebił, toteż po wyjściu można było odetchnąć z ulgą.

Na granicy posiadłości znajdował się staw, a na półwyspie jeszcze jeden dom. Nieraz starałem się wejść do domu przez werandę, ale drzwi były zamknięte na klucz. Gdy zbliżyło się twarz do okna, można było dostrzec łóżko i strome schody wiodące na piętro. Na tym mogę zakończyć opis posiadłości stryja Ludwika.

Dokładnie tak jak mój ojciec, stryj Ludwik poszedł na wojnę w 1920 roku, ale dostał się do niewoli. Legenda głosi, że był w grupie jeńców, która w ramach oświaty dla ludu uczęszczała na kursy marksizmu. Nie wiadomo, czy stryj

Ludwik przejął się Karolem Marksem, ale wiadomo, że po powrocie do Polski uczynił, co następuje:

Podczas nieobecności syna jego matka związała się z przyszłym kandydatem na męża. Pretendent już na pierwsze spotkanie przybył w towarzystwie matki stryja Ludwika. Działo się to w restauracji. Gdy tylko padły słowa o małżeństwie, stryj Ludwik podniósł kufel i rozbił go na głowie pretendenta. Należy dodać, że stryj Ludwik miał wtedy lat siedemnaście. Pretendent zniknął na zawsze, a syn pozostał z matką. Wkrótce rozwinął interes i został tym, kim chciał zostać.

W roku 2004, przeglądając pamiątki rodzinne, znalazłem zdjęcie w kolorze sepii, które przedstawia Juliana, Zofię (później moją matkę), Ludwika i nieznaną mi kobietę. Wszyscy stoją w płaszczach przed domem. Ale jest to zdjęcie szczególne. W tych czasach robiono zwykle zdjęcia pozowane, na których wszyscy patrzą w jeden punkt. To zdjęcie natomiast przedstawia wszystkie osoby w ruchu, a ich spojrzenia podążają w różnych kierunkach. Zofia, na innych zdjęciach poważna, a nawet smutna, tutaj jest roześmiana i szczęśliwa. Natomiast Ludwik jest poważny i nieco zamyślony. Zdjęcie to zostało wykonane, zanim moja matka poznała mojego ojca.

To dało mi do myślenia. Nie spodziewałem się, że kuzynostwo znali się tak długo.

Do Kamienia przybyliśmy jesienią 1940 roku. Poszedłem do szkoły do klasy czwartej. Moja siostra Lidka miała pięć lat i była jeszcze w wieku przedszkolnym. W szkole zaprzyjaźniłem się z synem kierowniczki, Lolkiem Barańskim, i — do pewnego stopnia, wziąwszy pod uwagę różnicę wieku — z jego starszym bratem. Mieszkaliśmy niedaleko od siebie i często przebywaliśmy razem, także po lekcjach. Szkoła, ma się rozumieć, była koedukacyjna.

W Kamieniu ojciec nie czuł się najlepiej. Minął rok, odkąd nie pracował na poczcie. Wojna miała się skończyć lada chwila, ale się nie skończyła. Poczta była dla niego sprawą honoru, ale w miarę upływu czasu stawało się to coraz bardziej wątpliwe. Pozbawiony ruchu i wrażeń oraz skazany na monotonię, musiał się bardzo męczyć.

Stałem się religijny. Może to etap dojrzewania? Ale na dojrzewanie było jeszcze za wcześnie. Byłem bardzo dziecinny. A może to ksiądz katecheta zabrał się za nas na dobre i przesadzał z pokutami za grzechy? Był bardzo wymagający, jeśli chodzi o miliony zdrowasiek odmawianych za pokutę. Był też bardzo skrupulatny w tropieniu grzechów, które — dzisiaj to widzę — były w rzeczywistości bardzo niewinne. Chodziliśmy już do spowiedzi i nieobca nam była piekielna męka, niezależnie od tego, czy byliśmy winni, czy też nie. Pamiętam obietnice, że to będzie już ostatni raz, że skłamałem, nie dotrzymałem, zapomniałem... Dobrze spełniona, uczciwa szkoła neurastenii.

Czytałem dużo, głównie książki młodzieżowe pożyczone ze szkoły. Były to książki prawie wyłącznie polskie, rodzime. Tylko czasem, bardzo rzadko, trafiały się książki w tłumaczeniu. Na przykład *Makbet*, książka znaleziona w stanie żałosnym, bez tytułu, z wyrwanymi tu i ówdzie stronami, która przyplątała się nie wiadomo skąd. Nie wiedząc nic o Szekspirze, rozpoznałem w niej coś obcego i niezmiernie interesującego. Było to coś, co natychmiast pobudziło moją wyobraźnię. Ale poza tym literatura brzmiała swojsko i poczciwie i na razie bardzo mi to odpowiadało. Na półce stały także egzemplarze *Trylogii*, z czego wysnułem wniosek, że *Trylogia* jest wszędzie.

Wiosną w Kamieniu i w okolicy zaczęła się koncentracja wojsk niemieckich. Nie wiedzieliśmy jeszcze, że Hitler przygotowuje uderzenie na wschód. Do domku na stawach zawitała drużyna piechoty w pełnym uzbrojeniu. Obce, twarde, niezrozumiałe słowa rozbrzmiewały od wczesnego rana do nocy. Do tej pory widziałem Niemca w Radłowie, opodal Borzęcina, w listopadzie poprzedniego roku. Już nie pamiętam, kto mnie tam zabrał. Niemiec stał dobrodusznie, zwyczajny i okrągły, w furażerce i w jasnozielonym mundurze, a jedyną jego bronią był bagnet schowany do pochwy. Ale teraz byli to ludzie bardzo młodzi, rośli, wysportowani i zbrojni. Byli przejęci powagą świętej misji i mistycznym posłannictwem. Wychodziło im to o tyle dobrze, że w roku 1941 wszystko przychodziło im bez trudu i żadne zwątpienie im nie zagrażało.

Wojsko było wszędzie. Na podwórku oficerowie w hełmach bojowych ćwiczyli drużynami szturm lekkich karabinów maszynowych na nasz niewinny dom. Lekka artyleria wyjeżdżała o świcie, aby w ciągu dnia ćwiczyć ostre strzelanie w polu. Nadciągnęły też czołgi i teraz stały wokół Kamienia, zamaskowane, pokryte zielenią. A my, mali chłopcy, dwoiliśmy się i troili, żeby obejrzeć to wszystko.

O poranku 22 czerwca 1941 obudziły nas odległe działa. Wnet zamilkły, z czego wywnioskowaliśmy, że front się oddalał. Jeszcze przez parę dni wychodziliśmy na przedwieczorny spacer w kierunku wschodnim, ale panowała już cisza jak przedtem. Front oddalił się ostatecznie.

Tego, co nastąpiło później, niestety, nie pamiętam, poza

tym, że znowu opuściliśmy Kamień, a ja znalazłem się późną jesienią 1941 roku, sam jeden, w Porąbce Uszewskiej. Naczelny problem pochłonął mnie całkowicie, wypierając z mojej świadomości wszystko inne. Tym naczelnym problemem był paniczny strach, że moja matka i mój ojciec nie będą już dłużej razem.

Przypominam sobie, że odwiedziłem moją matkę w apartamencie stryja Ludwika, kiedy tam zamieszkała. To wrażenie było najsilniejsze, silniejsze niż wszystkie okoliczności, których nie brakowało. Ale najsilniej pamiętam moje rozpaczliwe, niewyznane pragnienie: „Wróć do mojego ojca". Reszta była nieważna. Z tego wynika, że podstawowym uczuciem dziecka w takiej sytuacji jest zachwiane poczucie bezpieczeństwa. Przynajmniej dziecka jedenastoletniego, bo takim dzieckiem byłem. I uczucie przegranej, ponieważ moja matka wtedy była szczęśliwa.

Natomiast nie pamiętam, co moja matka postanowiła. Być może nigdy tego nie wiedziałem, bo o takich rzeczach, może dla dziecka najważniejszych, wtedy się nie rozmawiało. Tego mogę się dzisiaj jedynie domyślać.

Wedle naszych dzisiejszych pojęć rozwód byłby najprostszy. Ale wtedy w Polsce, w czasach wojny, w tej sferze socjalnej, rozwód był niedopuszczalny. Oczywiście rozwód kościelny, a cywilny był jednoznaczny z kościelnym. W dodatku związki z kuzynostwem były uważane za skandal.

Separacja? Matka, tego jestem pewien, w jakiś sposób kochała swojego męża i nade wszystko swoje dzieci. Czy separacja w takich warunkach mogła być brana pod uwagę?

Jedno jest pewne. Moje błaganie, po części nieme, nie mogło być pominięte przez matkę, tak wrażliwą na każde uczucia, które jej okazywałem, nawet o tym nie wiedząc. Pozostaje więc pytanie dla mnie zasadnicze: czy to ja nie dopuściłem do rozwodu?

Mój ojciec wrócił do Krakowa na pocztę, moja matka i siostra towarzyszyły mu, a ja zostałem wysłany do Porąbki Uszewskiej. Moja matka do końca swojego niedługiego życia, gdyż pozostało jej zaledwie osiem lat, nie zobaczyła już stryja Ludwika.

Rok 1942 w Porąbce Uszewskiej

Szkoła, trzecia z kolei od rozpoczęcia wojny, już nie zrobiła na mnie wrażenia. Pogodziłem się z losem „samotnego inteligenta", pomimo że za takiego zupełnie się nie uważałem. Po raz trzeci przebrnąłem liście klonu, dębu i lipy, rysując je starannie w zeszycie i podpisując „Sławomir Mrożek — klasa 5". Z początkiem każdego roku szkolnego rysowanie liści było naczelnym zadaniem.

Na strychu znowu znalazłem książki. Tym razem literaturę religioznawczą, bo trudno uznać roczniki w rodzaju „Rycerza Niepokalanej" za dzieła religijne. Na szczęście w domu znajdowało się parę kalendarzy rolniczych, a u sąsiada odkryłem oprawione tomy pisma, którego tytułu już nie pamiętam. Był to chyba „Kurier Warszawski" z lat siedemdziesiątych dziewiętnastego wieku.

Do tej pory przebywałem w Porąbce w lecie, a oto była już zima. Obfity śnieg spadł przed Bożym Narodzeniem, a do tego jeszcze chwycił trzaskający mróz. Brak opału spowodował, że w „izbie reprezentacyjnej" panował wieczny ziąb, a brak nafty — że lampę naftową zastąpiono znacznie gorszą karbidówką. W dodatku ogłoszono, że z powodu srogiej zimy szkoła będzie zamknięta aż do odwołania. W domostwie pozostali dziadkowie, Hela, Kazimierz, wujek Jasiek i ja. Codziennie w wiecznym półmroku sypał równo śnieg, potem szybko się ściemniało i nic już nie było widać. Tylko szczekanie niewidocznych psów niosło się po okolicy. Nadal obowiązywało zaciemnienie. Wewnątrz karbidówka świeciła upiornie białym światłem, sycząc jadowicie przez kilkanaście sekund, a potem nagle gasła. Czytanie w tych warunkach traciło sens, nawet przy moich oczach, rzekomo już dobrych. Jedyną rzeczą, jaką mogłem zrobić, było opatulenie się w kuchni stertą używanych ubrań i oddanie marzeniom. W owym okresie miałem nieograniczoną wyobraźnię. Krowa za ścianą czochrała się od czasu do czasu, ziemniaki pod łóżkiem tkwiły spokojnie, a ja oczyma duszy oddawałem się — na przykład — muzyce. I do dzisiaj nie wiem, czy te muzyczne fantazje były cokolwiek warte, czy też nie. Sądzę, że nie, ale odświętne wrażenie pozostało.

Potem było jeszcze gorzej. Narastający mróz i brak opału dosięgnął także kuchni. Nasze życie koncentrowało się w jedynej izbie. W łóżku przebywałem już stale, dniem i nocą. Jedyną rozrywką było chuchanie na szybę w oknie, aż ukazywała się część stodoły, gnojówka i psia buda, z której pies nigdy nie wychodził, oraz nieustający śnieg. Gdy tylko przestawałem chuchać, okno zarastało fantastycznymi wzorami. Widząc, że już nie ma wyjścia, postanowiłem działać.

Przygotowałem dalekosiężny plan. Mój wujek Jasiek od czasów wojny nie miał określonej pracy. Wybrał sobie „handel", który pozwalał mu imać się każdego zajęcia. Dotrwał tak do końca wojny, kiedy wyruszył na Ziemie Odzyskane za szabrem. Wrócił stamtąd, przywożąc parę łyżew, harfę i łóżko składane. W ten sposób mógł odpowiedzieć na pytanie ciotki Heli: „Co ty właściwie robisz?".

Wtedy, w roku 1942, miał na składzie parę nowych półbutów, które obiecywał sprzedać po korzystnej cenie. Niestety, nabywcy nie było. Wujek Jasio przebywał w Porąbce, a potencjalny nabywca — na bazarze w Krakowie. Do Krakowa się jednak wujek Jasio nie wybierał z uwagi na surową zimę. Postanowił więc zaczekać, aż minie zima i nadejdzie wiosna. Cała moja strategia polegała więc na tym, żeby wujek Jasio wybrał się do Krakowa teraz, natychmiast, i zabrał mnie ze sobą przy okazji.

Miałem nadzieję powrócić do Krakowa nagle, bez uprzedzenia. W tym celu potrzebny był mi wujek Jasio. Całkiem inaczej wraca się do Krakowa samemu niż w towarzystwie. Puk-puk do mieszkania: „Kto tam?" — „Ja!", wyglądałoby zupełnie inaczej niż: „Kto tam?" — „Wujek Jasiek, przywiozłem niespodziankę". W Krakowie nie byłem już dwa i pół roku i moje nagłe pojawienie się mogło bardzo zaskoczyć moją matkę, nie mówiąc już o moim ojcu. Co więcej, chciałem pozostać w Krakowie, i to pozostać na zawsze. Poza tym ta wyprawa była wskazana ze względu na bezpieczeństwo podróży. Miałem zaledwie dwanaście lat — to dobre w czasie pokoju, ale nie w czasie wojny. Mieliśmy ruszyć w środku nocy, żeby zdążyć przed świtem do Sterkowca, maleńkiej stacji na linii kolejowej Tarnów–Kraków. Niepewność zaczynała się od wyjścia z domu. Potem trzy godziny w śniegu, po bezdrożach, na odludziu i w ciemnościach — w każdym momencie mogliśmy się natknąć na kto wie jakich ludzi chodzących po nocy. Lepiej było podróżować we dwójkę. No, w półtora mężczyzny, przyjmując za połówkę kogoś takiego jak ja.

Pociągi — które musiały przewozić wojsko, więźniów do

niemieckich obozów koncentracyjnych oraz pasażerów — były przepełnione. Głównie na takich krótkich odcinkach jak do Krakowa. Większość podróżnych stanowiły handlary, czyli kobiety z ludu. Na każdej stacji i stacyjce czekali na nie żandarmi i — od zadań poważniejszych — gestapo. Nieustanne kontrole dokumentów odbywały się na stacjach i podczas przebiegu pociągów. Czy muszę jeszcze pisać, że czarny rynek był — teoretycznie — karany śmiercią? Wuj Jasio miał z racji swojego wujostwa sprawować nade mną opiekę. Zgodził się — przy odrobinie mojej pomocy — na wszystko.

Pisząc te słowa, przypominam sobie, jak w czterdzieści osiem lat później powtórzyła się ta historia. Byłem wtedy w Meksyku, w styczniu 1991 roku, w szpitalu, bardzo chory. Byłem już po operacji, a naczelny doktor powiedział, że przez pewien czas będę miał halucynacje w związku z zażyciem, jak się wyraził, „środków medycznych w ilości aż do granic ludzkiej wytrzymałości". A więc Susana, już mnie trochę znając, była przygotowana na wszystko.

Istotnie. Mój obłęd polegał na tym, że chciałem natychmiast uciekać ze szpitala. Przygotowania zleciłem tylko jednemu człowiekowi, wtajemniczając go w mój plan. I ten człowiek, skądinąd przytomny i inteligentny, jak zaczarowany uwierzył mi i przystąpił do realizacji zamiaru. Był to jeden z braci Susany, który zaprzysiągł, że nic jej nie powie. Wszystko było przygotowane. Zmyślne dostarczenie mi ubrania, plan schodów, plan ucieczki samochodem. Ale nic z tego nie wyszło, ponieważ znaleziono mnie od razu na podłodze, nagiego, i położono z powrotem do łóżka. Stąd wiem, że mogę liczyć na pomocników w moich fantazjach.

Dalszy ciąg tej historii udowodnił mi istnienie prawa, które dopiero po wielu latach mogłem praktycznie zastosować. W życiu sytuacje trudne i skomplikowane rozwiązują się same i na odwrót: sytuacje z pozoru proste komplikują się ponad miarę. Ta historia należała do tych pierwszych.

Powrót do Krakowa

Matka powitała mnie z radością. Radość zresztą była obopólna i tak wielka, że nie pozostawiała miejsca na dalsze rozważania. Ojciec tak stanowczo został przekonany, że pozostanę z nimi, iż wszelka dyskusja byłaby nie na miejscu. A jeżeli było coś poza tym, jakieś sprawy dotyczące dorosłych, to ja o nich nie wiedziałem.

Przez dwa i pół roku nie widziałem ulicy Kieleckiej i powrót do domu dobrze mi zrobił. Doceniłem to niecały rok później, kiedy z powodu kolejnego niemieckiego zarządzenia w ciągu paru dni musieliśmy się wynieść z Osiedla Oficerskiego. Ale na razie były to te same ściany i ten sam dom.

Odnalazłem szkołę, która tym razem nie była prowincjonalna. Przede wszystkim jej skład społeczny oddawał wiernie to, co już się z Polską stało. Byli tam rodowici lwowianie, których po krótkiej okupacji rosyjskiej los przerzucił do Krakowa. Byli chłopcy o przedwojennych tradycjach i lumpy, które już po trzech latach okupacji niemieckiej dostosowały się świetnie do rzeczywistości.

W gronie profesorskim również nastąpiły zmiany. Ci, dla których nauczanie pozostało jedynym zarobkiem, cierpieli biedę, natomiast wielu dawnych profesorów zniknęło.

Ta zastępcza szkoła mieściła się daleko, na Grzegórzkach.

Wtedy miasto było o wiele mniejsze niż dzisiaj. Idąc od Osiedla Oficerskiego, przechodziło się koło austriackich fortów, które wówczas opasywały miasto. Sama szkoła mieściła się wśród podmiejskich kamienic przy ulicy Żółkiewskiego. Ulica ta była częściowo brukowana, wśród fabryczek, magazynów i ogródków działkowych. Szło się przez „dzikie pola". Wojsko niemieckie ćwiczyło tam ostre strzelanie. W zrujnowanych fortach koczowały rodziny. Grupki mężczyzn siedziały na poboczach, pijąc i grając w karty. Wszystko to w przyzwoitej odległości od kierunku naszego marszu, bo niebezpiecznie było się do nich zbliżać.

Szkoła była zajęta od świtu do późnej nocy. Nie pamiętam, żeby nasza klasa przychodziła do szkoły wcześniej niż o drugiej po południu. W zimie świeciły się żarówki, a jednocześnie pojawiło się zaciemnienie, co dawało przygnębiający efekt. Żółte, ledwo świecące się gołe żarówki i zapadająca ciemność przygnębiają mnie do dzisiaj tak samo jak wtedy.

Zacząłem dorastać. Pierwszą oznaką dorosłości były wzajemne relacje między szkołą a mną. Przyjęło się, że na mnie — jako sportowca i piłkarza — nie można liczyć, natomiast budzę zainteresowanie w sferach „bandyckich". Zapewniało mi to szacunek, a w każdym razie respekt klasowej publiczności: „Jego lepiej nie ruszać". Bandyci potrzebowali „inteligenta", a „inteligent" potrzebował bandytów. W założeniu razem tworzyli mieszaną grupę. Piszę „w założeniu", bo z racji wychowania w tym czasie byłem niewinny jak dziecko, a „bandyci" przyjmowali z góry, że taki nie byłem. Miałem z tym wiele niepotrzebnych problemów, ale w zasadzie ten układ mi odpowiadał. Nie miałem innego.

Moja matka czytała książki, gdy tylko mogła. Nieraz po całym dniu rozmaitych zajęć czytała je do późna, narażając się na wymówki ojca, który książki uważał za fanaberie. Nie przeczytał zresztą ani jednej.

Do wypożyczalni chodziliśmy raz w tygodniu, najczęściej w sobotę. Wobec ogromnej popularności wypożyczalni przed wojną niemiecki aparat terroru nie zdołał usunąć wszystkich książek, jakie były dostępne dla czytelnika. Zwykliśmy wypożyczać od sześciu do ośmiu książek tygodniowo. Wtedy właśnie moja matka spostrzegła, że nie widzę dobrze, i sprawiła mi okulary.

W kwietniu 1943 roku odkryto groby w Katyniu. Oczywiście uwierzyliśmy, że mordercami byli Niemcy. Takie było nasze nastawienie w owym czasie, przynajmniej w Polsce centralnej. Ci, którzy mieszkali na wschodzie, lepiej znali naszego drugiego sąsiada. Jednak to wydarzenie wstrząsnęło mną z powodów, które nie miały nic wspólnego z przyczynami nagłego zgonu piętnastu tysięcy mężczyzn w sile wieku. W Porąbce Uszewskiej karmiono mnie od dziecka makabrycznymi opowieściami. Można by rzec, że ta część mojej rodziny czerpała satysfakcję ze straszenia dzieci. W okresie dojrzewania zapłaciłem za tę ich przyjemność koszmarami, gorączką i bezsennymi nocami. Trzeba było kilku lat, żebym zapomniał o widoku rozkładających się ciał i innych okropnościach.

Stałym tematem było zaopatrzenie w żywność. Można to porównać tylko do czterdziestu paru lat późniejszego komunizmu. Wyjeżdżaliśmy z ojcem na wieś w każdą sobotę, żeby w niedzielę wieczór powrócić do domu z odnowionymi zapasami. Mieliśmy ułatwione zadanie, bo dwie rodziny, w Borzęcinie i Porąbce Uszewskiej, robiły, co mogły, żeby nam pomóc. Powstrzymywały się też od komentarzy, tylko wzdychając. Zazwyczaj wstawaliśmy wcześnie rano, a w zimie — przed świtem. Dzięki pocztowym znajomościom mojego ojca mieliśmy zapewnione miejsca stojące w składzie pociągu. Jadąc w tamtą stronę, wyobrażałem sobie coraz to straszniejsze rzeczy dotyczące drogi powrotnej. Czy Niemcy, utworzywszy szpaler wzdłuż pociągu, pozwolą nam wysiąść? Odbędzie się rewizja bagaży? A może aresztowanie, więzienie i wywózka do Oświęcimia?

Wysiadając szczęśliwie w Sterkowcu lub w Biadolinach, odczuwałem ulgę, która trwała dwadzieścia cztery godziny. Czasem przerywana była niepokojami innego rodzaju. Żeby dojść do Borzęcina, trzeba było iść dwie godziny bez żadnych postojów. Żeby dojść do Porąbki Uszewskiej — tyle samo, tylko w przeciwną stronę. Ale gdy dochodziło się do Porąbki, o jakiś kilometr od celu stała karczma. Wiedziałem z góry, co się wydarzy. Ojciec zwalniał, marudził, a potem mówił do mnie: „No, to jesteśmy w domu. Ja tylko załatwię coś w sklepie, a ty idź. Jakby się pytali, to powiedz, że zaraz przyjdę". I wracał, ale dopiero na drugi dzień.

Czerwiec 1943. Przeszedłem do następnej klasy. Dostaliśmy list od ciotki Niusi, zapraszający nas do Żmigrodu. Jej mąż Juliusz dostał tam posadę w mleczarni. Pojechaliśmy z mamą i siostrą w tamte strony, a ojciec jak zawsze został na poczcie w Krakowie. Pociąg posuwał się na południowy wschód, wśród dolin i lesistych pagórków. Furmanka czekała w Jaśle, resztę drogi odbyliśmy końmi.

W Borzęcinie, a nawet w Porąbce obecność najstarszych

w rodzinie — dziadka i babci — trochę mnie krępowała. W Żmigrodzie była tylko moja mama i ciotka Niusia, i stryj Juliusz, który prawie się nie liczył, ponieważ wychodził rano i wracał pod wieczór. No i były także dzieci. Mimo że mieszkanie było maleńkie — zaledwie pokój z kuchnią — miałem wrażenie przestronności i swobody. Nawiązałem znajomość z chłopcem z sąsiedztwa i pilnie czytałem „Adlera" — to pismo przyplątało się nie wiem skąd — choć nie znałem niemieckiego. I w ogóle po raz pierwszy i jedyny w tym dwumiesięcznym okresie wakacji zaznałem odprężenia, oddechu, a nawet radości.

Po powrocie z wakacji zaczęły się kłopoty. Przede wszystkim dostaliśmy wezwanie, żeby w krótkim terminie opuścić dom przy ulicy Kieleckiej 28 i przenieść się do Podgórza. Już od pewnego czasu słyszeliśmy o wysiedleniach, między innymi z Osiedla Oficerskiego, ale do ostatniej chwili łudziliśmy się, że to może nas ominąć. Niestety, nie ominęło.

Podgórze

Do Podgórza przeprowadzaliśmy się w pośpiechu, w jeden dzień, ponury i listopadowy. Cały nasz dobytek został zwalony na kupę byle jak, wozak siedział na wierzchu, koń ciągnął z wysiłkiem, a ja z matką szedłem obok. W miarę jak mijaliśmy Kazimierz i zbliżaliśmy się Starowiślną, zapadał zmierzch. Przypominam, że było to w latach wojny, kiedy obowiązywała godzina policyjna. Nakaz ten obowiązywał od 1 września 1939 roku aż do 8 maja 1945 roku. Znaczy to, że w całym mieście od zmroku aż do świtu nie mogło zabłysnąć ani jedno światełko, w przeciwnym razie strzelano do okien bez ostrzeżenia. Przedtem nie pozwolono nam zobaczyć naszej nowej dzielnicy, dostaliśmy tylko adres i z coraz większym niepokojem zbliżaliśmy się do celu.

Wiedzieliśmy, że było to już po zagładzie Żydów, i to, że zbliżaliśmy się chyłkiem, żeby przywdziać stare szmaty, świeżo pozostawione przez zmarłych, budziło w nas zabobonny lęk.

Podgórze było prawie puste. Nowi mieszkańcy dopiero się wprowadzali, a po dotychczasowych nie pozostał żaden ślad. Wiadomo było, że między nowymi mieszkańcami, żywymi, a dawnymi, na zawsze nieobecnymi, przewinęła się ekipa z „Baudienstu". Ci skoszarowani junacy mieli za zadanie przywrócenie mieszkań do stanu jakiej takiej używalności.

Było gorzej, niż myśleliśmy. Wzdłuż Wisły, od Trzeciego Mostu do Rynku Podgórskiego, rozciągały się drobne fabryczki i warsztaty. Tam znajdowało się nasze mieszkanie. Wchodziło się do domu przez sień i na lewo, po spiralnych schodkach, na płaski dach garażu. Po przejściu kilkunastu metrów szło się znowu po schodkach w górę, na prawo. Tu nagle kończyła się ściana zabezpieczona wąską poręczą. Przechylając się nad poręczą, w dole, przed garażem, można było zobaczyć bruk. Teraz należało wykonać półobrót w lewo i już staliśmy przed wąskimi drzwiami. Po otwarciu tych drzwi wchodziło się do bardzo małego pokoju z oknem. Idąc na wprost przez kolejne drzwi, można było przejść do równie małej kuchni. Przez okno widać było jednolity szary mur, oddalony o jakieś dwa metry od okna. W kuchni, przy dziennym świetle, było prawie ciemno. Kiedy chcieliśmy z niej korzystać, musieliśmy używać światła elektrycznego. Gdy wyglądałem przez okno kuchenne, mogłem zobaczyć dwupiętrową studnię zasłaną odpadkami niewiadomego pochodzenia.

Proszę wybaczyć szczegółowość tych wspomnień. Droga do domu i moment przed otwarciem drzwi utkwiły mi w pamięci. Drogę tę odbywałem codziennie od listopada 1943 do wyzwolenia — idąc do szkoły i z powrotem. Ściśle mówiąc, chodziłem tą drogą do końca czerwca 1944, czyli do wyjazdu na letnie wakacje do Borzęcina.

W Podgórzu przeżyliśmy groźny incydent. Pewnej nocy obudził mnie mój ojciec. Mówiąc szeptem, kazał się ubrać. Zachowując środki ostrożności, zeszliśmy na dół i przeszliśmy do opuszczonej rudery obok. Chodziło o to, że dom, w którym mieszkała rodzina Lichnowskich, tuż obok, został otoczony przez gestapo.

Czekaliśmy do rana. Ojciec miał wtedy trzydzieści dziewięć lat, a ja trzynaście, lecz byłem nad wiek wyrośnięty. Ojciec miał legitymację pracownika poczty, ja byłem uczniem szkoły podstawowej, jednak od gestapo należało się trzymać jak najdalej. Tym bardziej że jeszcze do niedawna byliśmy sąsiadami Lichnowskich. Rankiem okazało się, że cała ich rodzina została zabrana, a później, że jego dwóch synów zostało wywiezionych do Oświęcimia za przynależność do Armii Krajowej.

Gdy w roku 1995 byłem w Kielcach na premierze mojej sztuki *Miłość na Krymie*, podczas przyjęcia usłyszałem nazwisko „Lichnowski". Okazało się, że to ten Lichnowski, który po wyzwoleniu wrócił z Oświęcimia i zamieszkał w Kielcach. Mam nadzieję, że dalej tam mieszka, i serdecznie go pozdrawiam.

Nad Podgórzem przez cały czas unosił się trupi zapach. Ta okolica, tuż za Wisłą, ograniczona wzgórzami, z wielkim rynkiem i niewieloma ulicami, uboga przed wojną i proletariacka, teraz w doskonały sposób odpowiadała planom Hitlera. Żydowska dzielnica, Kazimierz, sąsiadowała z Podgórzem tylko przez rzekę. Wystarczyło wysiedlić Podgórze i umieścić tam Żydów, żeby mogło powstać tymczasowe getto, którego mieszkańcy skazani zostali później na zagładę w obozie koncentracyjnym.

Na Kieleckiej nie było Żydów. W owych czasach bardziej żyło się życiem dzielnicy niż życiem całego miasta — zwłaszcza kiedy było się dzieckiem. Jedno z dwóch wspomnień, jakie mi pozostały sprzed wojny, dotyczyło pewnego lata, ale roku nie pamiętam. W każdym razie nie chodziłem jeszcze do szkoły. Szedłem z matką ulicą, aleją raczej, od Poczty Głównej do Wawelu, wzdłuż Plant. Na ławkach siedzieli mężczyźni, wielu brodatych. Kobiet nie pamiętam. Mężczyźni rozmawiali między sobą w języku, który wydał mi się obcy. Uderzyło mnie, że byli ubrani na czarno.

Inny incydent później, tuż przed wojną. Kiedy jechaliśmy autobusem z Rzeszowa do Kamienia na ostatnie przedwojenne wakacje, zatrzymaliśmy się na pięć minut w miejscowości Sokołów. Mało kto wysiadał. Za oknami stał tłum dzieci, ale nie pamiętam, abym widział takie dzieci w Polsce nawet przedwojennej. Wszystkie były bose, ze stopami stwardniałymi od brudu, a że znowu było lato, niewiele było na nich łachmanów. Ale każdy z nich miał czapkę, choćby najnędzniejszą, i stojąc w tłumie, wpatrzeni w autobus, wszyscy milczeli. Ale wtedy już wiedziałem, że to byli Żydzi. Pasażerowie mówili o tym głośno, wyrażając się bardzo niepochlebnie.

Wszystkie z tych niewielu wspomnień łączy jedno: odczucie wzajemnej obcości.

Nad mieszkaniem mieścił się strych. Nie mieliśmy współlokatorów. Strych dostępny był od dołu, przez klapy w podłodze. Raz poszedłem z matką, żeby jej pomóc w rozwieszaniu bielizny. Na strychu było ciemno, pomagałem jej, przyświecając świeczką. Zwróciłem uwagę na zdjęcie, które leżało na piasku. Była to mała fotka, tak się wtedy mówiło, wykonana popularnym kodakiem. Przedstawiała zbliżenie młodego mężczyzny o rysach semickich w mundurze Wojska Polskiego. Fotografia została wykonana przed wojną. Niczego innego nie było na tym strychu, został wymieciony do czysta, podobnie jak całe mieszkanie, przed naszym przybyciem.

Kto i dlaczego zostawił to zdjęcie? Czy zabrał je z Kazimierza i celowo zostawił w Podgórzu, tuż przez egzekucją? Na to pytanie nigdy nie otrzymałem odpowiedzi.

W maju dostałem zapalenia ucha środkowego, potem moja siostra wbiła sobie w oko nożyczki, a długo oczekiwane lądowanie wojsk sprzymierzonych w Normandii nastąpiło dopiero szóstego czerwca 1944 roku. To ostatnie wydarzenie przyspieszyło pewność, że wojna rychło się skończy i że Niemcy zostaną pokonani. Przed epoką penicyliny zapalenie ucha środkowego związane było z niezmiernym bólem. Leżałem więc w łóżku i piłem kompot z rabarbaru, który dorocznie pojawiał się właśnie w maju. Siostra została uratowana dzięki interwencji mojej matki i sławnego krakowskiego okulisty, doktora Wilczka, który zorientowawszy się w jej położeniu finansowym, nie wziął ani grosza.

Zanim doszło do zdiagnozowania moich dolegliwości, chodziłem z matką do doktora. Od tej pory maj zawsze jest feralnym miesiącem. Mam przeczucie, całkiem mylne być może, że umrę w maju. Maj, zawsze piękny, wtedy był wyjątkowo piękny. Rozwijająca się choroba, gorączka i to piękne, radosne słońce spowodowały, że rozwinęły się we mnie uczucia podniecenia i bezbrzeżnego smutku. Wiatr na ulicach pędził tumany kurzu i wszystko było perwersyjne: rodząca się seksualność, przepoczwarzenie, kobiety bez płaszczy, słodko-gorzka substancja — coś ohydnego i coś błogiego ogarniało moje nieszczęsne chude ciało w okularach. Świat, nagle rozszerzony przez miesiąc maj i przez unikalność historycznych wydarzeń, był dla mnie wzniosły, ale i nie do zniesienia.

W czerwcu skończyła się szkoła. Pozostało pytanie, co robić dalej. Według Trzeciej Rzeszy miałem do dyspozycji następujące szkoły zawodowe: „Handlówkę”, czyli Szkołę Handlową, która trwała dwa lata i była szkołą dla ekspedientów, i „Chemiczną” — szkołę kształcącą praktykantów w podstawowym zakresie dla przemysłu chemicznego.

I to według Trzeciej Rzeszy było wszystko. Po zakończeniu siedmioklasowej szkoły powszechnej powinienem był zasilić szeregi pracujących Polaków, otrzymywać określone deputaty wódki raz na miesiąc, przydziały żywnościowe i niezbędny zasób gotówki na papierosy w monetach Generalgouvernement. Tymczasem ze świata dochodziły coraz bardziej elektryzujące wieści. Na froncie wschodnim walki toczyły się już w granicach przedwojennej Polski, na zachodnim — wojska sprzymierzonych osadziły się na dobre w Normandii i przez kanał La Manche przybywały nieustanne posiłki, a rozbita Luftwaffe przestała działać. Ojciec przyniósł z poczty alarmujące wiadomości, że nastąpiła wpadka na gestapo i należy się spodziewać aresztowań. W ciągu paru dni zamknęliśmy więc mieszkanie i wyjechaliśmy do Borzęcina.

Znów Borzęcin

Nie byłem w Borzęcinie przez dwa lata. Teraz zaczęło tu być niebezpiecznie. Kompania żandarmerii niemieckiej zawładnęła tak zwanym Domem Katolickim — piętrowym budynkiem z salą teatralną i pobożnym repertuarem wystawianym przez parafię. Budynek ten stał tuż obok domu dziadka i odtąd należało go unikać. Tylko z daleka i ukradkiem widziałem dwie Ukrainki przywiezione przez żandarmów. Były to baby na schwał, które trzymały się razem, prały, cerowały i mówiły w obcym języku.

Ruch wojsk w Borzęcinie nie ustawał. Pewnego dnia przyjechała kolumna pojazdów należąca do Wehrmachtu i roztasowała się we wsi. U sióstr Zaleśnych, dwóch starych panien, zatrzymała się młoda kobieta o włosach jasnoblond zrolowanych wysoko nad czołem i falujących poniżej, o której rozeszła się wieść, że była aktorką. Ta mówiła wyłącznie po niemiecku.

Wkrótce potem u sióstr Zaleśnych zaczął pojawiać się oficer i razem z aktorką oddalali się od drzwi ogrodowych w kierunku mi nieznanym. Ich powroty uchodziły mojej uwagi, ponieważ szedłem spać wcześniej, niż oni wracali. Rozeszła się wieść, że aktorka i jej zespół przygotowują Fronttheater. Próby miały się odbywać w teatralnej sali Domu Katolickiego.

Kiedy wszedłem na gruszę, a z gruszy na parkan, we fragmencie okna ukazał mi się rękaw niemieckiego munduru, poruszający się w takt wygrywanej na wiolonczeli melodii: *Ich habe meine liebe Musik, Musik, Musik*. A kiedy z profilu ukazała się ona, nie miałem słów dla mojego szczęścia, które na tym się skończyło. Dodać należy, że był to rok 1944, a od roku 1939 nie słyszałem ani jednej nuty, ponieważ słuchanie muzyki było surowo zakazane. Niestety, wszystko inne, zawarte w moim filmie zrobionym po wojnie, w Niemczech w 1978 roku, było fikcją.

Armia Czerwona nacierała na wszystkich frontach i lada moment oczekiwaliśmy ostatecznego wyzwolenia. Napisałem „ostatecznego" ze względu na naszą sytuację od lipca do końca sierpnia 1944 roku. Byliśmy wtedy pewni, że ostateczne wyzwolenie przyjdzie od Zachodu. Byliśmy bezgranicznie naiwni. Stopień naszej wiedzy o Zachodzie był wprost minimalny. Pod tym względem przykład Warszawy, zanim doszło do powstania, był przykładem dla całej Polski. Z chwilą kiedy powstanie w Warszawie stało się faktem, te sześćdziesiąt parę dni i nocy zamieniło się dla nas w przyspieszony kurs dokształcający na temat Zachodu.

Ale o tym dowiedzieliśmy się znacznie później. Na razie trwał pamiętny lipiec, w którym dziwnie radosny nastrój pomieszany był z rosnącą grozą.

Z Krakowa dochodziły wieści, że ludność ma się stawiać każdego dnia o świcie do pracy przy fortyfikacjach, wzmacniając tym samym Trzecią Rzeszę. Wprawdzie, z uwagi na represje, brały w tym udział tysiące osób, jednak czyniono to w atmosferze pikniku, rozkoszując się przewidywanym obaleniem tej Trzeciej Rzeszy. Dochodziły też wieści ze Wschodu. Plotka niosła, że jakieś dwie baby przeszły przez Wisłę od Baranowa i na własne oczy widziały żołnierzy radzieckich, a nawet handlowały z nimi machorką. Dziadek Kędzior wezwał do siebie mego ojca i długo z nim konferował, a mój ojciec wezwał mnie i we dwóch zaczęliśmy kopać grunt pod werandą. Kopaliśmy tak przez parę dni, aż zniknęliśmy pod ziemią, a ja zacząłem się domyślać, że urządzamy podziemny schron. Ten schron był przemyślany bardzo sprytnie. Widziany od podłogi, wyglądał niewinnie, to znaczy nie wyglądał jak schron, chociaż rzeczywiście nim był. Potem postawiłem wraz z ojcem dopasowane deski od wewnątrz tak, że z zewnątrz schron nabrał sympatycznego wyrazu. Ale na tym etapie dostałem polecenie, żeby udać się na przeciwległy koniec ogrodu, aby kopać regularny rów strzelecki. Wywiązując się z tego zadania, wykopałem świnię, zakopaną przed rokiem. Dostałem mdłości, spowodowanych wspomnieniami jednej z bezsennych nocy po odkryciu grobów w Katyniu w kwietniu 1943 roku. Nie byłem więc świadkiem tego, jak dziadek Kędzior po cichu zaniósł do schronu kupony na ubrania, chyba ze sto sztuk pasty Erdal i mnóstwo różności mających jemu i jego drugiej żonie zapewnić dostatnie życie już po wojnie i na wieki.

O cudownych walorach schronu miałem się przekonać w miesiąc później. Pewnej nocy zastukał w okno Filek, zwany Masarzem, i oznajmił szeptem, że łapią, po czym zniknął w ciemnościach. Zebrana rodzina uchwaliła, że przechowam się w schronie, który dla nikogo nie był już tajemnicą. Na wpół ubrany zszedłem do schronu i zamknęła się klapa nade mną. Tam aż do świtu podziwiałem sto sztuk pasty do butów Erdal. Ojciec natomiast zniknął razem z Filkiem. Miałem już lat czternaście i pół i byłem chudy, lecz rosły. Niemieccy żandarmi łatwo mogli mnie wziąć za dorosłego. Wieść o tym, że łapią, znaczyła, że łapią Niemcy, a dopiero potem, że Ukraińcy albo ruskie bandy złożone ze zbiegłych jeńców czy rodzimi, polscy rabusie. Rano okazało się, że nie łapie nikt, choć zdarzyć się mogło, że ktoś łapać mógł.

Mimo to ta noc w piwnicy napędziła mi wielkiego stracha. Uczyniłem śluby, teraz widzę, że naiwne. „Już nigdy, przenigdy nie miałem zrobić tego i owego, jeżeli tylko opatrzność pozwoli mi bezpiecznie doczekać do rana". Potem o wszystkim zapomniałem.

Tymczasem wybuchło powstanie warszawskie. Jego zakończenie wiązało się ze wszystkimi konsekwencjami politycznymi i psychologicznymi także i dla nas. Powstańcy zaczęli walkę w milionowym, ludnym mieście, a skończyli ją w ruinach, w mieście bezludnym, na morzu zniszczeń i trupów. Nawet do Borzęcina docierali uchodźcy z Warszawy. Wiem o tym, gdyż byłem niemym świadkiem tego, jak u nas w kuchni myła włosy pierwszy raz po powstaniu młodziutka dziewczyna z Warszawy. Bardzo mi się podobała. Niemka z Fronttheater natychmiast ustąpiła jej miejsca.

Na Boże Narodzenie Niemcy, których już wcześniej uznaliśmy zbyt pochopnie za pokonanych, zaskoczyli nas ofensywą w Ardenach, na pograniczu Francji i Niemiec. Ta ofensywa trwała na szczęście krótko, ale była dokuczliwa w naszym odmienionym nastroju. Ciągle jeszcze liczyliśmy na to, że Amerykanie przeskoczą całe Niemcy i wejdą do Polski, tym samym chroniąc nas od Związku Radzieckiego. Tymczasem Armia Czerwona na południe od nas posuwała się naprzód. Nie było żadnych wieści ze Żmigrodu, gdzie przebywał brat mojej matki wraz z żoną Niusią i córką Bożeną. Tylko w komunikatach z frontu można było przeczytać o ciężkich walkach pozycyjnych w rejonie Dukli. Natomiast od północy aż do ujścia Wisły panowała martwa cisza.

Święta upłynęły nam w niepewności. Północny front trwał nieruchomo, natomiast przez Borzęcin przepływało wojsko i uchodźcy różnego rodzaju. Siostry Zaleśne pozbyły się Niemki z Fronttheater i teraz mieszkali u nich nowi lokatorzy: młody leśnik ze Wschodu z żoną i jej bratem. Zaprzyjaźniłem się z chłopcem, nieco starszym ode mnie. Jego sposób mówienia był dla mnie fascynujący, ponieważ po raz pierwszy usłyszałem akcent z Kresów Wschodnich. Ale nade wszystko podobała mi się jego siostra, która nie tylko miała tę samą śpiewność mowy, lecz także była bardzo ładna. Tak że słuchając jej brata, miałem na myśli ją. Do dzisiaj czasami, kiedy odkrywam zapachy dawno zapomniane, czuję jej zapach zachwycająco świeży i, niestety, platoniczny. Niemka z Fronttheater i Polka z Warszawy już się nie liczyły.

Jeszcze nie wiedziałem, że sowieckie władze, zagarniające coraz to nowe obszary Polski, były szczególnie zawzięte na niektóre kategorie Polaków, między innymi na leśników. Zrozumiałbym wtedy, że trójka moich przyjaciół chciała od tych władz uciec jak najdalej. Mam nadzieję, że im się to udało. A ogólnie — nie wiedziałem, że ludzie na wschodzie Polski byli nieskończenie bardziej sceptyczni co do ustroju, zwanego później przodującym, niż mieszkańcy Polski centralnej. Dlatego kto mógł, wędrował ze wschodu na zachód, a kto nie mógł, pozostawał na miejscu z najgorszymi przeczuciami. Dotąd nigdy nie wychynąłem poza Polskę centralną, gdzie widziano ustrój komunistyczny niechętnie, ale bez przesady. Była to okoliczność, która odegrała w moim nieco późniejszym życiu rolę większą, niż można było wtedy przypuszczać.

Wojsko niemieckie było już z nami stale, choć zmieniały się jego jednostki i rodzaje. Pisma niemieckie mówiły tajemniczo o nowych rodzajach broni. Jedną z nich mieliśmy tuż pod bokiem, w opuszczonej cegielni. Wojsko ćwiczyło tam władanie panzerfaustem, który szybko wszedł do uzbrojenia armii. Inne pozostały tajne, napomykano o nich tylko, zanim poszybowały nad Londynem jako V-1 i V-2, witane tryumfalnie przez niemiecką propagandę. Ale dla nas był to tylko początek ich końca.

W tym czasie zdarzył się epizod, który wywarł na mnie wielkie wrażenie. Siedziałem przy oknie i patrzyłem na ogród, bezlistny już i ponury. Parkan załamywał się na lewo pod kątem prostym w miejscu, gdzie parę miesięcy temu wykopałem rów strzelecki. Nagle po prawej stronie wyłoniła się postać mężczyzny w samej tylko marynarce. Mężczyzna przesadził parkan i zaczął biec po przekątnej na lewo, widocznie z zamiarem powtórnego pokonania przeszkody w podobnym wyścigowym tempie. Ale zanim zdążył się podciągnąć na rękach, pojawiło się dwóch żandarmów i pobiegło w jego stronę. Byli szybsi od niego. W mgnieniu oka obalili go i zaczęli kopać, podczas kiedy on zasłaniał głowę rękami. Trwało to przez dłuższy czas, po czym żandarmi postawili go na nogi, już bezwolnego, i wziąwszy pod ręce, poprowadzili z powrotem do parkanu, tam gdzie przedtem się ukazali. Przerzucili go przez parkan na drugą stronę i zniknęli wraz z nim. Cała ta scena odbywała się w głuchej ciszy, jak na filmie bez dźwięku, ponieważ okna były podwójne, a ogród — w znacznej odległości od domu.

Podczas tej sceny i po jej zakończeniu ogarnęła mnie nienawiść i upokorzenie w stanie czystym. Byłem jej świadkiem i nie mogłem nic zrobić, aby jej zapobiec. Więcej! Musiałem się ukrywać, żeby żandarmi mnie nie zobaczyli. Po raz pierwszy i na razie jedyny doznałem uczucia, że nienawiść bywa tak wielka, iż przeradza się w stan fizyczny. Pozbawiona jakichkolwiek refleksji, wymaga ode mnie odruchowego działania, podczas gdy jakiekolwiek działanie, w czasie kiedy się ukrywałem, było niemożliwe.

Posterunek żandarmerii w sile jednej kompanii istniał w naszej wsi od lata do owej pory i nic nie wskazywało na to, że mogłoby się to zmienić. Mój ojciec i ja żyliśmy tuż obok, w domu mojego dziadka. Trwaliśmy w niepewnej symbiozie, trzeba dodać, nieuświadomionej ze strony żandarmów. Gdyby tylko oni dowiedzieli się o nas! Wtedy taki podział był najprostszy na świecie. „Nasi" to byli Polacy, a „oni" to Niemcy.

Po tym epizodzie rada rodzinna zadecydowała, że będę spał na strychu. Ciągle jeszcze traktowany jak dziecko, nie miałem głosu w tej radzie i byłem jej posłuszny. Miało to chytrze odwrócić uwagę żandarmerii ode mnie, tylko że nikt nie pomyślał, iż żandarmeria miała ważniejsze sprawy na głowie. Na strychu, rozległym i pełnym zakamarków, była słoma, wśród której co chwila trafiały się ukryte niespodzianki, między innymi — książki. Nie było tam łóżka, tylko parę sienników i góra pierzyn. Było też wiele staromodnych bund, czyli ciężkich i solidnych płaszczy z grubego filcu. Zimą wdziewało się je na lekkie paletka w czasie długich podróży furmanką. Tam się zagnieździłem.

Wkrótce temperatura spadła do minus dwudziestu stopni i na strychu zrobiło się bardzo zimno. Udając przed dorosły-

Przed moim rodzinnym domem: siostra ojca, Anna,
pani Rogożowa, brat Jerzy i moja matka.
Stoi: siostra mojej matki, Janina

Moja matka ze mną
i z moim bratem
w Poroninie
(ja – po prawej)

Personel Urzędu
Pocztowego
w Poroninie. Mój ojciec
– siedzi skrajnie po
prawej. Z góry,
z balkonu, przygląda się
moja matka

Ja (z prawej strony) z moim starszym bratem w Poroninie

Ja z psem, zwanym Mars. Zdjęcie przedwojenne

Moja matka i ja,
tuż przed wojną

Kuzynka Bożena i ja,
tuż przed wojną

Ja wśród młodzieży. Zdjęcie przedwojenne

Od lewej stoją: Kazimierz Kędzior, Antoni Mrożek, Stanisław Król, Juliusz Kędzior. Siedzą: ciotka Janina Fenglerowa (siostra mojej matki), moja matka, ja, Wiktoria Kędzior i Jan Kędzior

Okno po lewej: wujek Juliusz, Stanisław Król, druga żona Jana Kędziora, Jan Kędzior. Okno po prawej: stryj Kazimierz, ciotka Janina, mój ojciec (?), moja matka i ja

Siedzi: Stanisław Król, późniejszy bohater bitwy o Anglię. Stoją: siostra mojej matki, moja matka i na końcu – ja. Borzęcin przed wojną

Moja siostra Litosława (po lewej). Zdjęcie okupacyjne

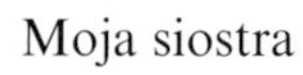

Moja siostra

Moja siostra w dorosłym wieku

mi, że jest mi tam w sam raz, sporządziłem sobie z pierzyn legowisko i na noc wkładałem kominiarkę. Cała sztuka polegała tylko na tym, żeby przebrać się z dziennego ubrania w koszulę nocną, czego musiałem dokonać w rekordowym tempie. Potem już można było się zrelaksować, dygocąc tylko przez chwilę. To, że z moich ust przy każdym oddechu unosiła się para, nie stanowiło dla mnie problemu. Za to jakie możliwości przedstawiało spanie na strychu! W porównaniu z ciasnotą wnętrza strych oferował słyszalność dźwięków dochodzących nawet z kilkunastu kilometrów. Słychać było wyraźnie szczekanie psów, gwizdy lokomotyw, których nie słyszało się za dnia, oraz tajemnicze odgłosy, które zaczęły docierać do mych uszu tylko po zachodzie słońca. Teraz do tych odgłosów przyłączała się wojna. Kukuruźnik, pojedynczy terkoczący samolot, mógł godzinami krążyć nad naszymi głowami. Samoloty, których motory grały bardzo wysoko i jednostajnie, posuwały się w ciemności z zachodu na wschód. I wreszcie w styczniu 1945 roku usłyszałem daleki i wyraźnie słyszalny huk armat. Od razu odczułem radosne podniecenie, bo na ten sygnał czekaliśmy od wielu miesięcy.

Zaczynał się odwrót. Zmęczone oddziały przepływały przez Borzęcin, gdzie spędzały najwyżej jedną noc i o świcie ruszały dalej, na zachód. Różni żołnierze pojawiali się w domu mojego dziadka. Jednego z nich pamiętam do dzisiaj. Stał przy wejściu do kuchni, wyprostowany, bardzo wysoki i barczysty. Tej nocy padał deszcz ze śniegiem i krople wody ściekały po jego gumowym oficerskim płaszczu. Na zaproszenie stryja Fenglera, który w takich wypadkach tłumaczył z niemieckiego, aby „pozwolił dalej" — grzecznie odmówił. Chciał tylko nabrać gorącej wody do menażki, którą trzymał w ręku. Zarówno jego prośba w obcym języku, jak i ton jego głosu, zupełnie nieoczekiwane w środku okupowanego przez niego kraju, wydały mi się niezwykłe na tle niemieckiej brutalności. Zdałem sobie sprawę, że ten Niemiec to nie był zwykły Niemiec. Byłem czternastoletnim chłopcem, nieobytym w świecie, ale różnica między nim a tym, do czego przyzwyczaili nas Niemcy, była znacząca.

Innym razem pojawił się Rosjanin — własowiec w niemieckim mundurze. Przyszedł koło dziesiątej, kiedy czas był na spanie i połączone z nim przygotowania. Obie mamy, to jest ciotka Janka i moja własna mama, myły w miednicy dwoje kuzynów i moją młodszą siostrę, kiedy zawitał on z lekkim zapachem alkoholu. Ceremonialnie uprzejmy, rozgościł się jednak na dobre. Po powstaniu warszawskim nie powitaliśmy go zbyt przyjaźnie. Ale on gadał po rosyjsku bez przerwy. Stryjek Fengler i mój ojciec napili się co nieco dla kurażu, no bo co było robić w takiej sytuacji? Tym bardziej że obaj nie znali rosyjskiego, podobnie jak ja. Zrozumiałem tylko, za pomocą języka polskiego, instynktu i gestów, że nienawidzi komunistów za krzywdę, jaką Stalin wyrządził chłopstwu. On sam u Niemców służył w taborach. Wyjawił nam wielką tajemnicę: że ma w Rosji kryjówkę, w której spoczywa ziarno, a kiedy wróci — ziarno dobędzie i zasieje. W tym ostatnim punkcie twierdzenia wzbudził moją nieufność, ponieważ zaczynał być pijany. I nie wiadomo, jak by się skończyła ta jego opowieść, gdyby nie zastukano w okno. Własowiec natychmiast wytrzeźwiał, wstał, podszedł do okna i zamienił parę słów z niewidocznym kompanem. Potem pożegnał się z nami, znowu ceremonialnie, i wyszedł. Był to alarm dla taborów i nigdy go już więcej nie widziałem.

Jedynym oddziałem, który nie ruszał się z Borzęcina, była sławna już kompania żandarmerii w Domu Katolickim. Ci trwali jak symbol tysiącletniej Rzeszy. Inne oddziały poruszały się bez przerwy w kierunku na zachód. Między innymi przybyli saperzy i pozostali na dłużej. Każdy znający się na rzeczy wiedziałby, o co chodzi. Przez Borzęcin płynie rzeka Uszwica. W lecie jest niewielka. W zimie wezbrana. Właśnie był środek zimy i rzeka mogła stanowić przeszkodę dla wojsk. Saperzy czekali na rozkazy.

Od jakiegoś czasu poczta nie przychodziła i nie było żadnych wieści z Porąbki. Dorośli załatwiali dziwne sprawy, których motywy mógłbym pojąć, gdybym wtedy sam był dorosły. To, dlaczego moja matka wraz z dziesięcioletnią córką udała się do Porąbki odległej od Borzęcina o dwadzieścia kilometrów, pozostanie dla mnie tajemnicą. Chyba że był jakiś bardzo prosty powód, o którym nie wiedziałem. Może chodziło o to, żeby ktoś z nas był w Porąbce „na wszelki wypadek". Ale dlaczego nie mój ojciec?

Tymczasem wydarzenia zmieniały się coraz szybciej. Przeżyliśmy „lot koszący nad pozycjami niemieckimi". Pozycje niemieckie — to był żołnierz, prawdopodobnie głupi albo niedoświadczony, który wypadł z chałupy z lekkim karabinem maszynowym, schował się w krzakach nad rzeczką i wypalił krótką serię w niebo. Dostrzegł to pilot samolotu, prawdopodobnie kukuruźnika, zniżył lot i ostrzelał napastnika. Potem przez jakieś piętnaście minut kukuruźnik latał tam i z powrotem, ostrzeliwując również nasz dom, który stał tuż obok rzeczki. Kiedy nadleciał po raz pierwszy, wszyscy rzuciliśmy się na podłogę, chroniąc się od kul. Potem okazało się, że niepotrzebnie. Rozrzut był za duży, a pocisków nie było prawie żadnych. Jeden z nich znalazłem na strychu w drewutni, drugi — na zewnętrznej ścianie mleczarni.

Przeżyliśmy także nalot na Tarnów. Borzęcin jest odległy od Tarnowa o prawie tyle samo kilometrów, ile Kraków, ale to było w nocy i widowisko zrobiło na mnie imponujące wrażenie. Staliśmy przed domem i patrzyliśmy na rozległy horyzont. Różnokolorowe rakiety wzbijały się w niebo w rozmaitych kierunkach, smugi reflektorów krzyżowały się nieustannie na niebie, było słychać detonacje wybuchów i artylerii przeciwlotniczej. Miało się wrażenie, że była to feeria ku uciesze gości zaproszonych na uroczyście obchodzone święto narodowe. Wrażenie było tym większe, że nas to nic nie kosztowało. Jednak front zbliżał się nieuchronnie, a gdy był tuż-tuż, postanowiliśmy przenieść się do schronu.

Schrony, piwnice, podziemia — to rozdział z dziejów drugiej wojny światowej. Istniały one w różnych wariantach, ale ich schemat podstawowy był zawsze taki sam. Jakiekolwiek były różnice klasowe tych, którzy uciekali do schronu, wyrównywały się one po jednej tylko nocy. Oto mój dziadek, Jan Kędzior, człowiek z pozycją, szacowny i w poważnym wieku, a jednak skulony na kocu i bezsilny. Oto siostry Zaleśne, ani gorsze, ani lepsze od Jana Kędziora, znajdowały się w tej samej sytuacji co on. I tak samo jego żona, ciotka Janka z dwojgiem dzieci, stryjek Fengler, mój ojciec, młoda kobieta z jej młodym mężem, jej młodociany brat i ja.

Na schron wybrano najgłębszą piwnicę w mleczarni. Miała tę wadę, że było w niej za ciasno. Wszyscy wyżej wymienieni ledwo się w niej zmieścili. Była tak zimna, że nie można było w niej siedzieć bez płaszcza i czapki. Żona Jana

Kędziora i siostry Zaleśne natychmiast zaintonowały litanię do Matki Boskiej, a ja, słuchając ich, byłem pewien, że nagła śmierć byłaby lepsza niż to zawodzenie. Mężczyźni wychodzili na dwór na papierosa, a ulegając męskiej ciekawości, chcieli wiedzieć, gdzie są Niemcy, a gdzie Rosjanie. Wiadomości były sprzeczne. Jedni twierdzili, że Rosjanie skradają się koło cmentarza, drudzy, że to Niemcy zaszli ich od tyłu. I tak trwaliśmy do północy w ogólnej niepewności, aż rozległ się ogłuszający huk, słyszalny nawet w piwnicy. To Niemcy wysadzili most na rzece, a potem zniknęli. Przez następny dzień w Borzęcinie nie było ani Niemców, ani Rosjan.

Dopiero w południe następnego dnia doniesiono, że zwiady konne pokazują się tu i ówdzie, ale mimo najlepszych chęci nie udało mi się ich zobaczyć. Pierwszy człowiek radziecki, jakiego zobaczyłem, był w piaskowym szynelu oficera i w czapce z błękitnym otokiem. Przy targowisku stał zielony dżip, a kierowca obok, w otoczeniu gawiedzi, rozdawał ulotki. Oficer wydawał mi się dziwnie semicki, zwłaszcza po okupacji niemieckiej, kiedy to armia była w stu procentach — jak to mawiali dumnie Niemcy — *Judenfrei*, i dziwnie — jak by się to powiedziało w parę lat później — zachodni.

Prawie jednocześnie drogą od północnego wschodu wkroczył do Borzęcina pułk piechoty. Była to ta sama droga, którą we wrześniu 1939 roku wycofała się polska armia. Żołnierze szli znowu przez dom Rogożów, tyle że na zachód. Byli dość dobrze, choć niejednolicie uzbrojeni. Tołkarewy — lekkie karabiny maszynowe — i starodawne maximy na kółkach, z pancerną osłoną dla leżącego piechura. Nowoczesne pepesze na przemian z karabinami jeszcze sprzed pierwszej wojny światowej. Ale wielu jechało na dżipach i potężnych studebackerach, co niewątpliwie było wyposażeniem amerykańskim. Również ciężka broń, jak moździerze i lekkie działka przeciwpancerne, była najnowszej daty.

Ojciec i ja postanowiliśmy odzyskać naszą żonę i matkę. Porąbka milczała w dalszym ciągu, a kraj, z chwilą wycofania się Niemców, zamienił się w puszczę bez żadnej komunikacji. Postanowiliśmy więc iść pieszo do Porąbki. Podróż ta zamieniła się nagle w daleką i niebezpieczną.

Wstaliśmy tuż przed świtaniem i ruszyliśmy o ósmej, gdyż chcieliśmy wyjść z domu rano i dojść do Porąbki jeszcze przed zmrokiem. Nasze myśli zaprzątała przede wszystkim obawa przed rabusiami. Cel był możliwy do osiągnięcia, gdybyśmy szli przez sześć godzin, uwzględniając nawet krótki odpoczynek. Na szczęście wstało wspaniałe słońce na nieskazitelnym niebie, śnieg iskrzył, a mróz trzymał, więc droga była dobra.

Tuż za rogiem zobaczyliśmy Dom Katolicki. Niektóre okna były otwarte mimo mrozu. Na podwórku śnieg był wydeptany, a stwardniałe na mrozie ślady opon krzyżowały się w różnych kierunkach. Rozsypana też była słoma oraz jakieś garnki i skrzynki.

Zaraz za cmentarzem droga była pusta. Na horyzoncie po lewej stronie czerniła się ledwo widoczna linia lasów. Z tyłu widać było zanikający Borzęcin i coraz to mniejszą wieżę kościoła. Przed nami, jeszcze w wielkiej odległości, leżała Bielcza. Żeby dojść do Bielczy, należało przejść przez lasek, co prawda rzadki, ale wystarczająco zasłaniający widok na odległość kilkunastu metrów. Zwłaszcza gdyby ktoś się przyczaił za świerkiem. Z wielkim strachem poszedłem za ojcem, ale co myślał mój ojciec, tego się już nigdy nie dowiem.

Potem znowu zrobiło się pusto. W takich sytuacjach pusta

równina jest ulgą. Pusto było również, kiedy przechodziliśmy przez Bielczę. Chociaż… wydawało mi się, że w oknie mignęła jakaś twarz. Czy ktoś ukrywał się za drzwiami? Ostrożnie, rozglądając się na boki, przeszliśmy przez Bielczę.

Doszliśmy do linii kolejowej. W lewo Biadoliny, ale na razie pociągi jeszcze nie chodziły, poszliśmy więc dalej. Znowu las, tym razem gęsty, sosnowy, z poszyciem. Droga zaczynała się wznosić, prowadząc do Dębna, do krakowskiej szosy równoległej z linią kolejową. Nagle z lasu doleciało kwilenie ptaka. To wydało się nam podejrzane. Przecież była zima, a ptaki wtedy odlatują. Przystanęliśmy.

— Słyszałeś? — spytał mnie ojciec.

— Słyszałem.

Nastała chwila ciszy. Potem kwilenie powtórzyło się, ale tym razem z prawej strony.

— Co robimy? — W głosie ojca był odcień niepewności.

— Może to nie ptak? — Gotów byłem pogłębić tę niepewność i zawrócić do domu, ale ojciec już podjął decyzję:

— Idziemy.

Poszliśmy, w każdej chwili przygotowani na to, że usłyszymy ptaka po raz trzeci, z lewej czy prawej strony, a potem że z lasu wyjdą dwaj osobnicy i zastąpią nam drogę. Ale czas mijał i ptaka jakoś nie było słychać. Las zaczął się zniżać ku Dębnu. Po szosie w stronę Krakowa przesuwały się maleńkie jak zabawki jednakowe samochodziki w dość długich, jednakowych odstępach.

— Postój na papierosa — powiedział ojciec z ulgą.

Usiedliśmy. Mój ojciec wyjął lufkę, szklane przedłużenie do palenia tytoniu, przełamał papierosa i włożył jedną połowę do kieszeni, a drugą do lufki. Zapalił z lubością.

— Konwój — powiedział, z satysfakcją patrząc na samochód. Konwój był dość długi, a po nim nastąpiła przerwa. Ojciec wstał, spojrzał w niebo i odczekał chwilkę.

— Tu mogą być samoloty — powiedział.

Potem zarzucił plecak na ramię i puścił się biegiem na drugą stronę szosy, a ja za nim. Ojciec do rowu, ja za nim. Ojciec pod górę, ja za nim. Odetchnęliśmy dopiero po drugiej stronie wzgórza.

— Udało nam się — powiedział ojciec.

Odtąd droga była kręta i prowadziła nieznacznie, ale stale pod górę. Uszliśmy ze cztery czy pięć kilometrów i zaczęło się ściemniać. Powoli, gdyż słońce zaszło za wzgórzami. Rzeka w dole była zamarznięta. Zbliżaliśmy się nareszcie do Porąbki.

— Co to jest? — zapytał ojciec, patrząc w dół, na śnieżne pole. Istotnie, obiekt, o który pytał ojciec, był już trochę niewyraźny w przedwieczornym zmroku.

Skręciliśmy w dół i na lewo. Zbliżając się, dostrzegliśmy wielki lej, całkiem świeży. Ostra woń trotylu unosiła się jeszcze w powietrzu. Rozdarta ziemia, wilgotna i brunatna, kontrastowała z otaczającym ją śnieżnym polem. Wydawało się, że to eksplodowała jakaś obca planeta.

— Chodźmy szybciej — powiedział ojciec.

Kiedy zbliżyliśmy się do zagrody, było już całkiem mroczno i nigdzie nie dostrzegliśmy najmniejszego światełka. Wojna jeszcze trwała i obowiązywało zaciemnienie. Kiedy otwarliśmy drzwi, uderzyło nas światło i ciepło lampy naftowej. W środku znajdowała się moja mama. Okazało się, że po południu nadleciał rosyjski samolot i ni stąd, ni zowąd zrzucił tylko jedną bombę. Tę, której efekty widzieliśmy po drodze.

Nigdy potem nie udało nam się z ojcem osiągnąć tej samej bliskości. To był tylko jeden dzień i wieczór, ale ustalił granicę, której żaden z nas nie przekroczył. Jego śmierć to już inna historia i nie chcę o tym mówić. Ale tak to było za jego i mojego życia, a później i do tej pory już tylko za mojego.

Ojciec i syn szukający żony i matki w opisanej scenerii to niemal klasyczny przykład tego tematu. Można z tego wyciągnąć wiele wątków ubocznych. Na przykład: moja matka żyła potem tylko cztery lata i przypadkowy samolot, zrzucając tylko jedną bombę, mógł być prefiguracją tego faktu. Albo: niedługo potem miało nastąpić moje dojrzewanie i matka ustąpiłaby na drugi plan. Albo: wojna kończyła się i kończył się też ten ścisły związek trzech osób. Rzadko jednak w moim życiu to, co miało nastąpić później, ukazywało się zawczasu w postaci tak teatralnej.

Koniec wojny

Wojna się kończyła. A co potem? Od 1 września 1939 roku do — jak się później okazało — 8 maja 1945 roku, który był datą ostatecznego zakończenia wojny, nasze życie było tylko na niby. Wobec tego należało obudzić się z tego koszmarnego snu i żyć dalej. Tę potrzebę odczuwał każdy Polak bez żadnego wyjątku. Wybuch radości, bezprzytomnych uniesień, nieogarnionych fantazji i nieograniczonego szczęścia towarzyszył Polakom przez parę miesięcy, zanim realność nie przywróciła ich do opamiętania. Życie na niby ma swoje miejsce tylko w filozofii i tylko w dziale „jednostka". Tam można sobie wygłaszać takie i tym podobne teorie. Ale w życiu zbiorowym nie ma dla niego miejsca i jeżeli się ono zdarzy, wtedy — po pewnym czasie — kończy się śmiercią.

Dla nas najpilniejszym zadaniem było powrócić do Krakowa i znaleźć mieszkanie. Dokonał tego za nas mój ojciec. Pierwszą pocztową ciężarówką dostał się do Krakowa i z siekierą w ręku, uprzedzając przedsiębiorczych spekulantów, obronił całkiem ładne mieszkanie znowu na Osiedlu Oficerskim. Ja wraz z matką i siostrą podążyliśmy za nim. Ustępująca administracja niemiecka zostawiła wszystko w kompletnym chaosie — i tak się to wtedy odbywało. Prawo pięści zastępowało „transakcje mieszkaniowe", a legalizacja nastąpiła dopiero potem.

Mieszkanie znajdowało się przy alei Prażmowskiego 68, wówczas dzielnicy willowej, która potem, w czasie komunizmu, zatłoczona została przez budowlaną tandetę. Powstało ono w latach trzydziestych w budynku, który stał w ogrodzie wraz z drugim bliźniaczym domem. Mieszkanie było na pierwszym piętrze i miało szerokie okna i wysokie sufity. Było przestronne i standardem przewyższało mieszkanie przy ulicy Kieleckiej. Składało się z dwóch pokoi, kuchni, przedpokoju i łazienki.

Mieszkanie to stało prawie puste. Przedtem zajmowali je Niemcy, którzy w panice opuścili Kraków w czasie zbliżania się Armii Czerwonej. Sądząc po papierach pozostawionych na biurku, ostatnim „lokatorem" mieszkania był niemiecki punkt dowodzenia, prawdopodobnie obrona przeciwlotnicza. Kiedy ojciec wszedł do mieszkania, jego pierwszą czynnością było otworzenie okna i wyrzucenie na obszerny, jeszcze niezabudowany dziki ogród granatu ręcznego. Na wszelki wypadek.

Na dole mieścił się rosyjski punkt opatrunkowy. Nastała odwilż i lżej ranni wylegiwali się w słońcu w szpitalnych pasiastych piżamach. W ogródku naszego domu urządzono kuchnię polową i na otwartym powietrzu, w wielkich garach, gotowało się jedzenie. Jedzenie pachniało nęcąco, ale odpadki — nie. Wkrótce było ich tyle, że nie można było przez nie przejść. Kiedy szpitalik zniknął, kopaliśmy rowy, w nich umieszczaliśmy odpadki i zakopywaliśmy z powrotem.

Zakopywaliśmy, co się dało. Nie do wiary, ile drutu kolczastego, nowego, prosto z fabryki, zmagazynowali Niemcy. Jak się później okazało, Kraków obliczony był na długą obronę. W alei znaleźliśmy pełno śmieci, płytkie rowy strzeleckie i ogromną szpulę drutu kolczastego. Sięgała na kilka metrów wzwyż i musieliśmy wykopać odpowiednio głęboki dół, pozostawiając kilkadziesiąt centymetrów dla udeptania trawy. Jedno było pewne: urządzaliśmy Kraków na stałe i na wieki.

Przy aprobacie rodziny zapisałem się do gimnazjum. Oprócz wykształcenia, które mi się należało z naturalnych powodów, miałem już świadomość, że zacznę się dusić, jeżeli nie poszerzę kręgu moich znajomości i przyjaciół. Gimnazjum było ku temu następnym krokiem. Dla matki — sprawa ta nie ulegała już kwestii, a co do ojca — jakiekolwiek były jego doświadczenia na poczcie, już wiedział, że matura popłaca. Marzyła mu się zwłaszcza kariera prawnika, doktora czy choćby inżyniera.

Szkolnictwo było w stadium organizacji, podobnie jak cała Polska. Nie przypominam sobie, żeby wybór Gimnazjum i Liceum imienia Bartłomieja Nowodworskiego był uwarunkowany jego „starożytnym" pochodzeniem. Co najwyżej moja matka słyszała, że jest to pierwsze gimnazjum na liście Krakowa i że „ma tradycję". Do tego gimnazjum mnie zapisano.

Egzamin przebiegł bardzo pobieżnie. Wojna jeszcze trwała, ale ani ja, ani szkoła nie mieliśmy czasu do stracenia. Na to, co robiłem między czerwcem 1944 roku a lutym 1945 roku, po prostu machnięto ręką. Przyjęto mnie od razu do drugiej klasy gimnazjalnej. Ale ja wiedziałem, że w owym czasie chodziłem na komplety — tak się nazywało tajne nauczanie podczas okupacji niemieckiej — miałem więc czyste sumienie. W domu dziadka przechowywał się podchorąży, pan Kazik. Zdawszy maturę tuż przed wojną, poszedł do wojska, nie zaznawszy podchorążówki, uciekł przed niewolą i ukrywał się przez całą wojnę. Będąc kuzynem Fenglerów, opuścił potajemnie Wielkopolskę i przez ostatni rok pracował w mleczarni. Uczył mnie kilku przedmiotów, w tym angielskiego, grał na harmonii, dorabiał jako fotograf i uwodził liczne dziewczęta. Bardzo przystojny, wysoki i z nieprawdopodobną blond czupryną, był moim idolem.

A więc Gimnazjum i Liceum imienia Nowodworskiego było już moją szkołą. Ale lekcje odbywały się w Gimnazjum Sobieskiego, gdyż budynek Na Groblach, w którym mieściło się Gimnazjum Nowodworskiego, jeszcze do niedawna przeznaczony był na koszary. Trwały więc roboty zmierzające do przywrócenia go do pierwotnego stanu. Była już wiosna w całej pełni, kiedy szedłem ulicą Sobieskiego w pierwszej połowie maja. Jedno z okien od strony ulicy było otwarte i dobiegała z niego odtwarzana w radiu piosenka Edith Piaf *La vie en rose*. Było we mnie to wszystko, o czym napisałem powyżej: radość tych niezapomnianych chwil.

Do tej pory nie byłem w teatrze. Teatr w Polsce przedwojennej był dla mnie niedostępny, nie tylko z powodu biletów, choć także i dlatego. Do teatru chodziło się tylko powyżej pewnej sfery. Co prawda, także ze snobizmu. Później, podczas wojny, Polakom nie wolno było chodzić do teatru, gdyż taki był nakaz AK. Teraz miała nastąpić ta pierwsza w moim życiu premiera. Teatr imienia Juliusza Słowackiego w Krakowie, podczas wojny *nur für Deutsche*, przygotował pierwszą powojenną inscenizację *Wesela* Wyspiańskiego, przeznaczoną między innymi dla młodzieży szkolnej. Widziałem ten spektakl i dostałem z wrażenia gorączki. Odtąd teatr był częścią mojego życia, a także stał się moim zawodem.

Również po pięciu latach przerwy odkryliśmy kino. Podczas wojny propaganda niemiecka zachęcała, by oglądać filmy tylko niemieckie i tylko cenzurowane. Idiotyczne operetki *qui pro quo* z udziałem aktorów trzeciej kategorii albo odwrotnie, „wstrząsające dramaty" antyżydowskie, na przykład *Żyd Süss*. W dodatku kroniki filmowe, również cenzurowane, oraz reportaże o zwycięstwach niemieckiego oręża na wszystkich frontach. Teraz odkryliśmy kinematografię amerykańską, angielską, francuską, szwedzką, włoską, czechosłowacką, polską, radziecką, no i niemiecką sprzed roku 1933, czyli roku dojścia Hitlera do władzy. Były to filmy zrobione w okresie od dwudziestolecia aż do roku 1948, gdy komunistyczna cenzura stała się wszechobecna. Doszliśmy do tego, że z moim przyjacielem, Januszem Smólskim, zakładaliśmy się o rekord w obejrzanych filmach. Bywaliśmy w kinach w godzinach popołudniowych, po lekcjach, dwa, a nawet trzy razy dziennie. Zakładaliśmy zeszyty z rubrykami, w których każdy film był statystycznie wyliczony z detalami, i prześcigaliśmy się z wyliczaniem tych detali. Marzyliśmy o reżyserii filmowej, a ja nawet dotarłem do mieszczącego się przy ulicy Smoleńsk sekretariatu świeżo założonego Urzędu Kinematografii, aby zapytać o szanse przyjęcia do szkoły filmowej. Otrzymawszy zdawkową odpowiedź, wyszedłem znowu na korytarz, aby udzielić tej odpowiedzi koledze. Przypuszczam, że w tym czasie nosiłem krótkie spodnie.

Uczęszczając tak często do kina, przyswajaliśmy sobie, sami o tym nie wiedząc, opóźnione o pięć lat lekcje o świecie. Byliśmy na drodze do zdziczenia i odsiecz przybyła w samą porę. Niestety, trwała tylko trzy lata. Kto zaczerpnął w tym czasie tchu, ten wygrał, bo po trzech latach zaczęło się wszystko tak samo. Można to nazwać radykalnym ograniczeniem wolności osobistej, które tym razem zawdzięczaliśmy komunizmowi.

Do długiej listy rzeczy, których pozbawiła mnie okupacja niemiecka, należy dopisać może nie najważniejszą, ale dotkliwą: przez pięć lat byłem pozbawiony gazet. Zostałem stworzony z pewną do nich skłonnością, ujawnioną, gdy tylko nauczyłem się czytać. Jedyną gazetą dostępną dla mnie był „Goniec Krakowski", wydawany wprawdzie w języku polskim, ale w całości w duchu niemieckiej propagandy. Ta podwójna wiedza przydawała mi się później w odniesieniu do cenzury komunistycznej aż do chwili emigracji. Można powiedzieć, że z grubsza przez dwadzieścia lat mojego życia czytałem gazety „z podwójnym dnem". To samo odnosi się do całego mojego pokolenia, z tą różnicą, że nie wszyscy mogli emigrować.

Teraz przez trzy lata pławiłem się w obfitości gazet i czasopism. Nie była to znowu taka obfitość, dyskretna cenzura była od początku aktywna, zanim objawiła się w całej okazałości. Ale po okupacji niemieckiej ilość tematów i zagadnień była na tyle wielka, że wystarczyło jej na trzy lata. Ogłupienie zaczęło się dopiero potem i trwało blisko czterdzieści lat.

Dnia 8 maja 1945 roku Niemcy skapitulowały. Początek i koniec tej wojny były najważniejszymi wydarzeniami mojego życia. Ale to nie była różnica pod względem jakości, tylko pod względem totalnego przeciwieństwa. Co było wtedy, nie wydarzyło się już nigdy potem.

W Polsce wojna trwała najdłużej: 5 lat, 8 miesięcy i 8 dni.

Życie po wojnie

Dzień 3 maja 1946 roku był dniem wolnym, ale nie przewidziano żadnego pochodu. Młodzież akademicka zorganizowała pochód na własną rękę. Prawdopodobnie zaczęło się to już w Bratniaku (to określenie sprzed wojny), ale osobiście zobaczyłem pochód koło Rynku, przy filharmonii.

Wznoszono okrzyki. Ale jakie? To było wiele lat temu. Ogólnie biorąc: antypaństwowe. Atmosfera stawała się coraz gorętsza. W pewnej chwili znalazłem się w tłumie, na rogu Rynku, przy ulicy Wiślnej.

Zaznaczam, że ja także wznosiłem okrzyki. Tak jak mój ojciec, nie należałem do żadnego ugrupowania politycznego. Moją „polityką" była więc bliżej nieokreślona polskość, ale czuliśmy odgórnie coraz bardziej narastającą rosyjską tendencję i staraliśmy się temu zapobiec. Toteż wołałem za utworzeniem rządu, który by tę tendencję ograniczył, na przykład: „Mikołajczyk! Mikołajczyk!", co było nazwiskiem znanym w całym kraju. Później, kiedy sprawy przybrały przewidywalny obrót, Mikołajczyk został zmuszony do ucieczki na Zachód i umarł na emigracji.

Nagle w gęstym tłumie rozległy się strzały z narożnej kamienicy. Był to gmach Komitetu Wojewódzkiego PPR i strzelano do nas z okien drugiego piętra. Buńczuczne okrzyki w jednej chwili zamieniły się w panikę. Widocznie nie była to jeszcze ostateczna rozgrywka, jak w Poznaniu w roku 1956, kiedy identyczna sytuacja, choć w innym mieście, rozwścieczyła tłum i sprowokowała go do wtargnięcia siłą do budynku. Ludzie rozproszyli się na wszystkie strony, szukając na oślep ratunku. Przebiegłszy Rynek, wcisnąłem się do bramy po drugiej stronie. Ktoś zamknął bramę za nami.

Na Rynku dał się słyszeć tupot ludzi ściganych i ścigających oraz podniecone głosy tych drugich. Wreszcie uciszyło się na tyle, abyśmy mogli odbyć naradę osób zupełnie przypadkowych, a więc naradę krótką i chaotyczną. Potem wyglądaliśmy ostrożnie na zewnątrz i po kolei wymknęliśmy się na Rynek. Każdy z nas poszedł w inną stronę.

Długo kluczyłem i sprawdzałem, czy nie jestem śledzony, zanim dotarłem na moją aleję Prażmowskiego. Była tam cała moja rodzina, toteż ulżyłem sobie, opowiadając im całą tę historię. Ojciec w pełni aprobował moje zachowanie i był ze mnie dumny. Matka pytała, czy coś złego mi się nie stało, a siostra była za mała, żeby o coś pytać. Wspomnienie to świadczy o tym, że jeszcze w 1946 roku byłem posłuszny ojcu. Trwało to do matury, a potem, w roku 1950, wszystko się zmieniło.

Choroba matki

Byłem już w pierwszej klasie licealnej. Pewnej nocy obudziło mnie pełne światło, ostre i bezlitosne. Nie wiedziałem, co się dzieje, i z trudem zacząłem powracać do rzeczywistości. Przy łóżku, pochylony nade mną, stał mój ojciec, w pełni ubrany. To on mnie obudził.

— Twoja matka jest chora — powiedział.

Zanim rozległ się jego głos, zauważyłem w nim całkowitą zmianę. Głos także miał zmieniony. Po raz pierwszy była w nim bezradność.

— Dostała krwotoku. Wezwałem karetkę.

Spojrzałem na budzik, była głęboka noc.

Usiłowałem wstać, coś robić, za czymś nadążyć, ale ciągle jeszcze nie wiedziałem, o co mu chodzi.

— Jest już w szpitalu.

Wtedy dopiero zrozumiałem. A jednak nie zrozumiałem jeszcze wszystkiego. To prawda, moja matka zniknęła po raz pierwszy i nie wiedziałem, jak długo to potrwa. Zachorowała bowiem na słynną borzęcką gruźlicę. Część mojej rodziny, dotknięta tą chorobą, umarła i — dzięki wspomnieniom przekazanym mi przez matkę i własnym dotyczącym stryja Juliana — miałem o niej dość dobre pojęcie. Ale jedni umarli, a drudzy cieszyli się zdrowiem i liczyłem, że moja matka zostanie oszczędzona.

Zakłócony został porządek, w jakim do tej pory utrzymywany był nasz dom. Nie byłoby problemu, gdyby trwało to tylko parę dni. Ale moja matka nie wracała przez kolejne tygodnie, a potem wyjechała do sanatorium w Zakopanem. Musieliśmy więc dostosować się do nowych warunków. Zacząłem odczuwać dotkliwy brak obecności matki, co przejawiało się we wszystkim, poczynając od rzeczy najprostszych. Na przykład zniknęły kanapki z jajkiem na twardo, które co rano o godzinie siódmej trzydzieści zabierałem do szkoły na drugie śniadanie. Ojciec i siostra także odczuli brak matki, każde na swój sposób. Na początku przewijały się przez nasz dom tak zwane pomoce domowe, ale często się zmieniały. Zresztą mój ojciec jeszcze szybciej z nich rezygnował i stołował się Bóg wie gdzie, a na miejscu pozostawaliśmy tylko moja siostra i ja. Przez jakiś czas przychodziła do nas wdowa po przedwojennym policjancie, kobieta skromna, która nie spodziewała się w życiu już niczego nowego. Była ona przeciwieństwem wszystkich innych garkotłuków, znacznie młodszych i oczekujących za rogiem wielkich wspaniałości, łącznie z Hollywood. Przykładem może być pewna tłusta baba, która mówiła bez przerwy „co-ja-za-to-mogę" i spała również bez przerwy, mimo że przychodziła tylko za dniówkę. Zresztą, z wyjątkiem wdowy, pomoce domowe gotowały okropnie i często przyrządzałem sobie danie o nazwie „swinnaja tuszonka", czyli smalec i chleb, albo kaszankę, zwaną „krwawa kobasica", jako pożywienie dnia godne uwagi. „Swinnaja tuszonka" miała nazwę rosyjską i w niedawnym czasie służyła jako zaopatrzenie Armii Czerwonej, a kaszanka „krwawa kobasica" pochodziła, jak sądzę, z Serbii czy może z Czech. Były to amerykańskie dary, które ojciec pobierał na poczcie jako część zapłaty.

Osobne i rzadkie obiady zdarzały mi się tylko w domu wyżej wspomnianego kolegi, Janusza Smólskiego. Poczucie honoru walczyło z głodem i nie było wypadku, w którym honor by zwyciężył. Były to obiady pod każdym względem dostatnie, a przebywanie z kompanem było przyjemnością. Natomiast obiady u sióstr felicjanek lub u ojców jezuitów, gdzie mój rodzony wuj dotrzymywał mi czasami duchowego towarzystwa i akompaniował mi podniosłymi uwagami na tematy ogólne, mimo obfitości jedzenia przyjemnością nie były.

Jednak nie tylko drobiazgi, jak gotowanie czy dbanie o dom, dokuczały mi z powodu nieobecności matki. W grę wchodziły poważniejsze sprawy. Moja matka była jedyną osobą, która mówiła do mnie uprzejmie, co nie było typową cechą otaczającego mnie środowiska. Co tu ukrywać, nieumiejętność wysławiania się i ordynarne słownictwo były wśród chłopstwa na porządku dziennym. Wiem, co mówię. Pochodzę bowiem z klasy zaledwie średniej i częściowo z chłopów. Ale ja od mojej matki nie usłyszałem nieuprzejmego czy nawet niecierpliwego słowa, a tym bardziej grubiaństwa. Była w moim otoczeniu jedyną osobą, która z usposobienia należała do czegoś, co dawno temu określało się — i to bez ironii — mianem wyższych sfer, mimo że tak naprawdę do nich nie należała.

Wdzięk był następną cechą rozmowy z nią. Zależnie od tematu kojarzył się on z finezją czy nawet z dyskretnym humorem, gdyby słowo „humor" nie było już pozbawione znaczenia przez dzisiejszą wulgaryzację. W warunkach normalnych, które nie wymagały poważnej rozmowy, utrzymywałem z nią żartobliwy kod, do którego nikt poza nami nie miał dostępu. A poza tym byłem po prostu dorastającym chłopcem, który nagle został pozbawiony matki.

W szkole wiodło mi się coraz gorzej, a tymczasem widmo matury zaczęło ukazywać się na horyzoncie. Jednocześnie komuniści — czyli Związek Radziecki — uznali, że minęły już trzy lata od wojny i nadszedł czas na dokręcenie ideologicznej śruby w kraju tak opornym na wpływy komunizmu. Jesienią 1948 roku odbył się w Warszawie z wielką pompą zjazd tak zwany zjednoczeniowy. Partia Socjalistyczna przestała istnieć, a Polska Partia Robotnicza zmieniła nazwę i teraz nazywała się Polska Zjednoczona Partia Robotnicza. Pomniejsze partie, jak Stronnictwo Demokratyczne czy Stronnictwo Ludowe, istniały nadal, ale tylko dla ozdoby jako partie „towarzyszące" Polskiej Zjednoczonej Partii Robotniczej.

W rezultacie ta zaostrzona walka klasowa spowodowała gwałtowne pogorszenie się warunków życia w całej Polsce. Działająca do tej pory jako tako gospodarka załamała się definitywnie i po różnych perypetiach doprowadzona została do kompletnej nędzy. Dopiero zmiana ustroju pozwoliła jej znowu odetchnąć.

Ale na razie, w 1948 roku, na naszych oczach odbyła się raptowna zmiana na gorsze.

Do tej pory panował, ukształtowany w poprzednim dwudziestoleciu, przedwojenny system szkolnictwa. Nauczali profesorowie, którzy przeżyli okupację, a podręczniki też były przedwojenne. Na uroczystość zakończenia roku szkolnego chór szkolny śpiewał tę samą *Bogurodzicę* co trzysta lat temu.

Teraz ta od wieków ustalona tradycja zaczęła się zmieniać. Na początek zmieniono nam dyrektora. Został nim członek nowej partii, człowiek grubiański, znany z nowych poglądów. Osobnik ten zaczął wprowadzać nowe porządki. Przede wszystkim zaczęto nas agitować za przystąpieniem do ZMP — organizacji, która powstała odgórnie w tym samym roku. Z czasem ten pompatycznie nazwany Związek Młodzieży Polskiej stał się powszechną organizacją o niskiej zawartości ideologicznej. Był to jeszcze jeden załącznik do kompletu podań, życiorysów i zaświadczeń, które były zmorą mojej komunistycznej młodości. Związek Młodzieży Polskiej był traktowany jako wstęp do PZPR.

Dyrektor uznał, że nasza ostatnia, przedmaturalna klasa jest zbyt „burżuazyjna", żeby jakiekolwiek radykalne działania mogły ją przerobić. Brakowało nam „nowego" programu nauczania, podręczników i w ogóle „postępowej myśli". Wobec tego postanowił dopuścić nas do matury i machnąć na nas ręką, a potem zająć się uczniami nowymi w każdym sensie. Oczekiwane przez niego podręczniki były już w druku, i to jednakowe w całej Polsce, a przodująca myśl miała dopiero zakwitnąć przy wsparciu Urzędu Bezpieczeństwa.

Za to pojawiły się znaki po przeciwnej stronie barykady, to znaczy po stronie nas, uczniów. W klasie przedmaturalnej było nas kilkudziesięciu, a co najmniej pięciu z nas zaczęło dawać dwuznaczne, a potem coraz bardziej jednoznaczne sygnały. Dwóch doszło w przyszłości aż do Komitetu Centralnego partii, a reszta do sekretarzy wojewódzkich i różnych organizacji partyjnych. Dlaczego? Na takie osobiste pytanie nie chcę albo nie umiem odpowiedzieć.

Uczyłem się coraz gorzej. Często wagarowałem. Wszystko jedno dokąd. Cała przyjemność była tylko w tym, żeby nie być w szkole. Zamiast wstawać przed ósmą rano, spałem długo, a potem dużo czytałem, leżąc w łóżku. Zimą zmierzch zapadał wcześnie. W miarę upływu dnia odczuwałem rosnący głód, który mimo wszystko sprawiał mi przewrotną satysfakcję. Polegując w łóżku, zakładałem się sam ze sobą, ile jeszcze wytrzymam. Oczywiście w domu nie było nic do zjedzenia, inaczej wstałbym i przyrządził sobie choćby kawałek chleba. Coraz bardziej brudne i zaniedbane mieszkanie sprzyjało temu lenistwu. Im gorzej — tym lepiej.

W szkole również zachowywałem się dziwnie. Był u nas profesor biologii, który ogólnie nie był lubiany. Był łysy i robił grymasy, okazując nam, uczniom, bezmiar swojego obrzydzenia. Dzisiaj wiem, że miał rację, ale wtedy, tak jak wszyscy, nie lubiłem go. Po rozpoczęciu lekcji zwykł brać listę uczniów i po długim, sadystycznym namyśle, gdy rosło napięcie w naszej klasie, odczytywał nareszcie nazwisko ucznia, którego miał zamiar przepytać. Raz odczytał moje. Powstałem i już miałem wymienić organy jakichś żyjątek przerabianych na poprzednich lekcjach, gdy spojrzałem na jego twarz i nagle naszła mnie ochota, żeby odejść od tego wszystkiego. To znaczy nie tylko od żyjątek i od jego twarzy, lecz także od szkoły, Krakowa i Polski. Chciałem znaleźć się tak nieprawdopodobnie daleko, że nigdzie. To „nigdzie" nieco mnie uspokoiło. Żeby jednak od czegoś zacząć, postanowiłem uniknąć widoku twarzy profesora i obróciłem głowę. Budynek byłego Gimnazjum Nowodworskiego znajduje się tuż pod Wawelem, a lekcja owego dnia odbywała się na drugim piętrze. Moje spojrzenie pobiegło więc na dachy Wzgórza Wawelskiego i nagle zauważyłem, że na dachu pali się maleńkie ognisko. Dzień był zimowy i trudno było określić, czy był to początek dnia, czy jego zmierzch. Tak jest zwykle w Krakowie o tej porze roku. W dodatku było mglisto, jednakowa szarość bez granic obejmowała wszystko. Ale ognisko było żywe, jak, nie przymierzając, serce. Oczywiście wyjaśnienie tego zjawiska było całkiem proste. Robotnicy zatrudnieni na dachach Wawelu rozebrali je częściowo do krokwi, a że było zimno, rozpalili ognisko. Ale dla mnie istotnym faktem jest tylko to, że zapamiętałem to wydarzenie od dziewiętnastego roku życia. Patrzyłem więc w tę dal i biolog nadaremnie wzywał mnie do odpowiedzi. „To wszystko" było mi coraz bardziej obojętne, a nawet poczułem satysfakcję, a później perwersyjną rozkosz. Zgryźliwe dowcipy profesora na mój temat były mi doskonale obojętne. Interesowały mnie tak samo jak mrówka pod mikroskopem. Profesor, widząc moją obojętność, machnął na mnie ręką i pozwolił mi usiąść. Usiadłem, całkowicie zajęty moim odkryciem. Przydało mi się ono czternaście lat później, kiedy opuściłem Polskę. Odkryłem wtedy, że żadna siła nie zdoła mnie przekonać, kiedy coś postanowię.

Moja historia z biologiem powtarzała się co jakiś czas, aż wreszcie zamieniła się w rutynę. Na początku lekcji biolog odczytywał moje nazwisko, ja wstawałem, biolog zadawał mi pytanie o żyjątka, a ja uparcie milczałem, patrząc na niego. Koledzy cieszyli się z góry na tę sensację, ale potem im się znudziło. Przyszła wiosna i cała sprawa z wolna odeszła w zapomnienie. Nie zapomnieliśmy tylko ja i biolog. Muszę przyznać, że mimo wszystko na egzaminie maturalnym mnie zaskoczył. Postawił „dostatecznie", pozwalając mi przekroczyć ten próg. Byłem mu za to bardzo wdzięczny.

Moja matka przebywała w tym czasie w sanatorium. Stosowano wobec niej odmę i nic nie zapowiadało, żeby miała powrócić do domu w najbliższym czasie. Odwiedziłem ją w Zakopanem. Znalazłem ją serdeczną, ale jakąś obcą. Może dlatego, że po raz pierwszy była w nietypowym, to znaczy nie moim, towarzystwie?

W miarę zbliżania się do matury koledzy już zawczasu obierali różne zawody, w których mieli dalej się kształcić. Ja ciągle nie mogłem zdecydować o mojej przyszłości. Uznałem to za niedojrzałość i nieprzystosowanie do życia. W końcu — niby postanowiłem pójść na architekturę, ale jakoś niemrawo. W głębi ducha dręczyły mnie wątpliwości dotyczące mojego projektu. Przez całe moje ówczesne życie odczuwałem brak dorosłego mężczyzny, który w razie potrzeby mógłby mi służyć radą i pomocą. Ale mój ojciec nie nadawał się do tego, a teraz rady potrzebowałem szczególnie. Z ociąganiem więc i bez przekonania wybrałem architekturę. Miał to być kompromis między zawodem „artystycznym", czyli — według mnie — moim, a „solidno-praktycznym", czyli mojego ojca. Bo wtedy liczyłem się jeszcze z ojcem.

Ale wybrać architekturę to było za mało. W szkolnictwie wyższym zaszły zmiany. Naczelne miejsca w rozdzielniku na architekturę, jak i na inne wydziały, przypadały „robotnikom", później „chłopom", a na ostatku „inteligencji pracującej". Do której kategorii należałem? Wziąwszy pod uwagę całą moją rodzinę — do wszystkich.

Odtąd co roku na każde miejsce na wszystkich wydziałach przypadało kilkakrotnie, a nawet kilkunastokrotnie więcej kandydatów. Toteż wybierając architekturę, liczyłem się także z przegraną. Architektura mogła okazać się fikcją.

Matura

Maturę zdałem 19 maja 1949 roku. Ledwo przelazłem na „drugą stronę dojrzałości". Ogólna ocena mojego egzaminu brzmiała „dostatecznie". Przypisuję to coraz większemu zaniedbaniu w nauce, a jednocześnie moim coraz bardziej histerycznym na to reakcjom. Dręczyło mnie pytanie, co zrobię, jeśli nie zdam matury. Jednak na to, żeby po prostu się uczyć i zdać, nie miałem siły. A z drugiej strony bardzo liczyłem na świadectwo dojrzałości. To oznaczało wolność. Toteż sukces powitałem niedowierzaniem, a potem nieprzytomną radością. Jak dalece zaszła moja radość, świadczy pewien fakt, wprawdzie dziecinny, ale spontaniczny. Po ogłoszeniu wyników poszliśmy z Leszkiem Herdegenem, z którym się wtedy przyjaźniłem, do jego domu. Usiedliśmy w jego gabinecie i staruszka niania wniosła kotlety schabowe. W jednej chwili olśnił mnie pomysł, żeby się zemścić za długie lata udręki szkolnej. Podzieliłem się tym pomysłem z Herdegenem, który ochoczo nań przystał. Gdy tylko niania odeszła, zostawiając nakrycia na stole, natychmiast pochwyciliśmy nasze zeszyty do matematyki, już bezwartościowe, naszym zdaniem, i odbiliśmy na kartkach tłuste plamy z kotletów. To miała być ta nasza zemsta. Chciałoby się rzec, że wolność niejedno ma imię.

Przez miesiąc chodziliśmy w kółko oszołomieni wolnością. Zacząłem pojmować, że poza zwolnieniem raz na zawsze z lekcji szkolnych w moim życiu mało co się zmieniło. Moje kłopoty pozostały te same co przedtem.

Niespodziewanie do Krakowa zawitał stryj Ludwik z krótką wizytą. Zaprosił mnie do restauracji, do nieistniejącego już Żywca na ulicy Floriańskiej. Po raz pierwszy byłem we względnie wykwintnym lokalu. Zauważyłem, że kelnerzy darzą stryja Ludwika szacunkiem, a on przyjmuje to w sposób zupełnie naturalny. Podczas obiadu poinformowałem go krótko o chorobie matki, o mojej maturze i o planach na przyszłość. Słuchał uważnie z nieprzeniknioną twarzą, a pod koniec obiadu zaprosił mnie do siebie, do Kamienia, na całe wakacje. Domyślając się zapewne, w jakiej byłem sytuacji, wręczył mi sporą sumę na wydatki. Zamiast oszczędzać, kupiłem sobie pierwszy w życiu zegarek i bilet pierwszej klasy. Nieświadomie ustaliłem moje predyspozycje na całe życie.

W chwili, którą opisuję, miałem lat dziewiętnaście. W roku 1941, gdy spotkałem stryja Ludwika, miałem lat jedenaście. W ciągu minionych ośmiu lat prawie o nim zapomniałem. Gdy pojawił się znowu, oczywiście przypomniałem go sobie, jednak nic z poprzedniego urazu nie pozostało mi w pamięci. Wtedy byłem dzieckiem, teraz — prawie mężczyzną. Zmienił się układ między moim ojcem a mną, a także układ między mną a stryjem Ludwikiem. Dzisiaj już wiem, że potrzeba było niewielu lat, żeby sytuacja zmieniła się radykalnie.

Na miejscu zastałem go w tym samym otoczeniu co osiem lat temu. Ta sama sekretarka, tylko bardziej zgorzkniała, i młodziutkie, przystojne gospodynie, które osiem lat wcześniej miały po osiem lat i chodziły do szkoły. Urządziłem się w domku nad stawem i tam spędzałem większość czasu. Potrzebowałem pilnie takiego rozwiązania, gdyż w Krakowie w dalszym ciągu mieszkałem z ojcem i siostrą na Prażmowskiego. Wśród coraz to częstszych awantur między nimi taka sytuacja stawała się dla mnie coraz mniej znośna. Domek nad stawem odpowiadał mi idealnie. Tylko łóżko, fotel i prosty stół ustawiony przy oknie, na tle sadu. Potrzebowałem wytchnienia, spokoju, namysłu po mojej świeżo osiągniętej dorosłości. Wakacje w Kamieniu bardzo mi odpowiadały.

Urządzałem wycieczki na rowerze. W obfitym inwentarzu stryja był nie jeden, ale kilka rowerów. Pogoda była piękna, środek lata. Popołudniami, po dobrym obiedzie, ruszałem zwiedzać okolicę. Trzeba dodać, że w tamtych czasach samochód był wielką rzadkością, a ludzie zajęci byli żniwami, każdy w swojej okolicy, i rower był, że tak powiem, królem szos. W Nisku oglądałem most na Sanie, wtedy jeszcze zniszczony. Pierwsze znaki odbudowy dały się zauważyć wzdłuż tymczasowego mostu pontonowego. Słońce zachodziło i było cicho. Pamiętam, że siedząc na deskach, jadłem chleb z masłem i kiełbasą, rozkoszując się przedwieczornym spokojem. Bo należy pamiętać, że w Kamieniu jadłem nieustannie i kucharki nie mogły się nadziwić mojemu apetytowi.

Zwiedziłem okolice Sokołowa. Kilkanaście lat później miejsce to stało się sławne z powodu tajnych prób doświadczalnych, dotyczących rakiet V-1 i V-2. Rakiety te zostały potem wysłane na Londyn z wybrzeża Peenemünde. Było to zaledwie w trzy lata po wojnie, a miejsce to już zaczynało zarastać trawą. Prostokątne porządne baraki jeszcze stały, ale już pozbawione były klamek i drzwi, a pomieszczenia zostały kompletnie oczyszczone. W środku brakowało urządzeń sanitarnych, pozrywano kafle, powyrywano druty urządzeń elektrycznych.

Sokołów objechałem w samo południe. Była to mieścina żydowska, teraz martwa.

W Kamieniu nie zaniedbałem też przygotowań do egzaminu wstępnego na architekturę, chociaż nie bardzo wiedziałem, jak się do tego zabrać. W Krakowie im bliżej było do matury, tym częściej chodziłem na Wawel czy odwiedzałem inne zabytki, które wydawały mi się wartościowe, i próbowałem je narysować. Ale fantazja porywała mnie gdzie indziej i nie mogłem się skoncentrować na nudnym rysunku. Nie miałem architektonicznego ducha jak na przykład Janusz Smólski, który został znakomitym architektem. Pomysł na te studia wyższe od początku nie wydawał mi się najlepszy, ale jeszcze nie przyznawałem się do tego. W Kamieniu był tylko jeden kościół, skromny zresztą, i trudno, żebym go obrysowywał bez końca. Chodziłem więc do lasu, który zaczynał się niedaleko od terytorium stryja Ludwika. Rozkładałem koc i zaczynałem się zagłębiać w *Kalendarzu robotniczym 1949 roku*. Tekst był jeszcze bardziej nudny niż moje architektoniczne rysunki. Nic z tego nie pamiętam poza jednym: „Bolesław Bierut urodził się w Rurach Jezuickich".

Za to jedna rzecz sprawiała mi przyjemność. Była to nauka języka angielskiego. Już w szkole czytałem sporo po angielsku, także literaturę poważną, częściowo podczas wykładów z biologii czy matematyki. Tak że przy maturze byłem już biegły w tej sztuce.

Wieczorami po kolacji, która odbywała się w kuchni starego domu, żegnałem stryja Ludwika i szedłem rzekomo spać. Zresztą i tak nikt tego nie sprawdzał. Gdy zbliżałem się do domku nad stawem, zamiast skręcać w lewo, szedłem w prawo i przeskakiwałem przez parkan. Po drugiej stronie nie było nikogo, puste pole, a potem zaczynał się las. Zapalały się gwiazdy na czystym niebie. Różne nocne szelesty rozlegały się wokół. Zaczynałem biec lekko i bez wysiłku. Tak biegają dziewiętnastoletni i zdaje im się, że mogą tak biec bez końca. Czysta radość dodaje im skrzydeł, stopy nie dotykają ziemi, a serce pracuje w doskonałym rytmie. Kiedy dobiegałem do lasu, wschodził właśnie księżyc. Wtedy las się przemieniał i stawał się zaczarowany. Ja też się przemieniałem i stawałem się jednością z księżycem, lasem i nocą. Tak przynajmniej wydaje mi się dzisiaj, kiedy takie przygody są już bezpowrotnie utracone.

Po powrocie do Krakowa na początku września widziałem się z matką po raz drugi w ciągu dwóch lat. Spotkanie odbyło się już poza miastem, na terenie Szpitala Prądnickiego, w rozległym parku czy też w czymś, co mogłoby uchodzić za park. Siedziałem obok niej na ławce. W tle nie widziałem nikogo, choć na pewno przechodziły tamtędy pielęgniarki i pacjenci. Pogoda była piękna, zbyt piękna, żeby to miało jeszcze długo trwać. Powietrze było niewiarygodnie przejrzyste. Każdy szczegół na horyzoncie widoczny był w najdrobniejszych detalach. Nitki babiego lata unosiły się w powietrzu.

Ja ubrany byłem w byle jaki niebieski sweterek z podwiniętymi rękawami. Ona wyglądała stale młodo. Miała na sobie ciemną suknię z białym kołnierzykiem.

— Zmężniałeś — powiedziała zaskoczona.

Byłem innego zdania, gdyż pomimo mego wzrostu w dalszym ciągu ważyłem pięćdziesiąt dziewięć kilo. Ale wtedy protestowanie nie było mi w głowie. Nie zwróciłem też uwagi na to, że ona wygląda młodo. Dla mnie zawsze wyglądała młodo. Różnica dwudziestu trzech lat nie wydawała mi się wówczas istotna.

Zadała mi parę pytań o ojca. Wiedziony instynktem, odpowiedziałem zdawkowo. W gruncie rzeczy nie wiedziałem, co on porabiał w ciągu tych dwóch lat, a nie chciałem przed nią kłamać. Potem zapytała o siostrę, która miała wtedy czternaście lat. Z moją siostrą były komplikacje tak liczne, że starałem się o nich nie mówić. Tym bardziej że moja matka była świadoma swojej odpowiedzialności i zupełnej bezsilności z powodu choroby. Bardzo się więc tą sprawą męczyła. Ogólnie mówiąc, opowiedziałem jej niewiele, chociaż bardzo chciałem powiedzieć więcej. Czas przewidziany dla mnie i na moją wizytę minął.

Pożegnaliśmy się jak zawsze. W mojej pamięci „zawsze" oznacza — z przyjaźnią i wzajemną ufnością. Zawsze mogliśmy na sobie polegać.

Zostałem przyjęty na architekturę. Nie miałem żadnego poparcia. Leszek Herdegen coś mówił tajemniczo o poparciu mojej kandydatury przez nieżyjącego dziś profesora T., członka Akademii Sztuk Pięknych, a później Wyższej Szkoły Sztuk Plastycznych (nowopaństwowa mania zmieniania nazw wszystkich instytucji wciąż trwała). Ale z czasem przekonałem się, że była to tylko jego fantazja, jedna z licznych.

Pamiętam moje wypracowanie z polskiego. Była to wtedy nowość. „Obywatel", bo po maturze staliśmy się obywatelami, napisał takie wypracowanie, prezentując nową Polskę z najwłaściwszej, to znaczy najbardziej pochlebnej strony. Napisałem tę rzecz z pełnym cynizmem.

Ku mojemu zdziwieniu także zadanie z matematyki rozwiązałem poprawnie. Równie poprawnie narysowałem Hagia Sophia, czyli kościół — meczet w Istambule.

Politechnika Krakowska mieściła się w północnej części miasta, w starych dziewiętnastowiecznych koszarach. Ponure bloki z czerwonej cegły wywierały przygnębiające wrażenie. Od nowego roku szkolnego zaprowadzono dyscyplinę studiów, co oznaczało naszą udrękę. Nieustanne zebrania i prasówki, atmosfera podejrzliwości i samooskarżeń, kontrola obecności przy pomocy donosicieli — to wszystko się na nią składało.

Dwie grupy studentów, jedna pochodzenia inteligenckiego, druga — proletariackiego, znajdowały się w konflikcie. Różniło je wszystko. Rodzice, ogólny poziom wykształcenia, obyczaje, a nawet sposób wysławiania się. Z natury przyłączyłem się do tych pierwszych, ale niezupełnie, gdyż nigdy nie utożsamiałem się z „inteligencją". Jeszcze nie docierało do mnie, że nie nadaję się do życia w zbiorowości. Nie udzielałem się więc za bardzo, ale głównie z powodu różnych kompleksów. Pozostawało mi życie prywatne, które z kolei na skutek dezorganizacji rodziny też mi się nie wiodło. Mało wtedy miałem powodów do radości.

Leszek Herdegen, zgodnie z zapowiedzią i dzięki pewnym cechom jego charakteru, wstąpił do szkoły aktorskiej. Od dawna był zapowiedzią, ale czego? Poezji? Literatury? Sztuki w ogóle? To się nareszcie wyjaśniło. Przedtem należał do zespołu pisma młodzieżowego, pisał poezje, pięknie recytował je na wieczorkach i na akademiach i nareszcie się zdecydował. Odtąd był uczniem pierwszego roku szkoły teatralnej, wówczas przy ulicy Szpitalnej 1, na rogu ulicy Pijarskiej. Ten pierwszy rok był awangardą postępu dla wszystkich szkół wyższych całego Krakowa. Z uwagi na koleżanki, które były onieśmielająco piękne, często odwiedzałem szkołę teatralną. Z tych czasów wzięła się pogłoska, jakobym i ja wstąpił do szkoły teatralnej, a potem z niej, na skutek niedomagania gardła, zrezygnował. Czy człowiek nie może pójść i popatrzeć na koleżanki bez narażania się na takie zarzuty? A tymczasem studiowałem architekturę z coraz mniejszym zapałem.

Miałem wtedy na sobie kurtkę niebieską na sztucznym futerku, zwaną przez kolegów „niebieską małpą" — dar amerykański. Dla większego fasonu kurtka była opasana dwa razy za długim rzemieniem. Pamiętam ten szczegół, ponieważ moja garderoba, od lat nie za bogata, w owych czasach dosięgła dna i długo na nim pozostała. Chodziłem w niej dzień w dzień, od jesieni do wiosny. Przemierzałem Cmentarz Rakowicki, o tej porze wyjątkowo smętny, dwa razy dziennie, by dojść do ponurych gmachów Politechniki z jednej strony oraz do pustego i zimnego mieszkania — z drugiej.

Wszystko, co pamiętam z architektury, to wykop pod fundamenty z niezliczoną ilością pomiarów, nad którym, myląc się, biedziłem się bez końca. Z historii sztuki pamiętam porządek joński. Pewną ulgę sprawiało mi rysowanie głowy Mojżesza z rogiem na czole, ale irytowały mnie uwagi asystenta, który wymagał, aby nasze prace odpowiadały ściśle jego wskazówkom. Dostałem też niewielkie stypendium, za które, jak przystało na architekta, kupiłem sobie lampę kreślarską.

Śmierć matki

Nie pamiętam już, jak zostałem zawiadomiony o śmierci mojej matki. W każdym razie odbyło się to w sposób równie nagły, jak i bezosobowy. Może był to telegram? Niczego takiego się nie spodziewałem, matka była daleko, poza Krakowem. Przyzwyczaiłem się już do tego, gdy nagle…

Informacja zawierała datę jej pogrzebu w Borzęcinie w Dzień Zaduszny 1949 roku.

Znaną mi od dzieciństwa drogę Kraków–Biadoliny odbyłem koleją. Wichura, deszcz ze śniegiem, błoto… Nie wiem, jak mój ojciec dostał się do Borzęcina. Kiedy tam wszedłem, ojciec był już na miejscu i odgrywał, moim zdaniem, komedię. Później zostałem dopuszczony na chwilę do trumny. Pamiętam to bardzo wyraźnie, ponieważ nikogo przy tym nie było. Matka stąd się wzięła w Borzęcinie, że przedtem była w szpitalu w Brzesku i tam jej stan znacznie się pogorszył. Widziałem ją tylko raz, tego samego dnia po przyjeździe z Krakowa. Światło było jeszcze dzienne. Wszedłem na werandę, gdzie trumna była odkryta. Zobaczyłem matkę po raz pierwszy spokojną i po raz pierwszy — obcą mi.

Ta obcość zdumiała mnie. Między mną a moją matką dokonywało się coś, czego na razie nie mogłem zrozumieć. To była pierwsza śmierć kogoś bliskiego w moim życiu. Nigdy do tej pory z tym się nie spotkałem. Myślę, że najgłębsza samotność na tym właśnie polega.

Pogrzeb odbył się nazajutrz rano. Nie wiem, kto był obecny. Zaledwie rozpoznałem mojego ojca. Wydawało mi się, że zachowuje się dziwacznie, i nie wiedziałem, że od tej pory będę musiał się do tego przyzwyczaić. Jego dziwaczność polegała tylko na tym, że teraz przebywał ze mną sam, bez matki. Okazało się, że ojciec i ja nie byliśmy sobie bliscy. Wcześniej, w rzadkich chwilach, kiedy bywał w domu, nie tworzyliśmy zespołu ojciec — matka — syn, ponieważ ojciec i syn nie mieli do siebie pełnego zaufania. Ja jako dziecko mogłem zaufanie pozyskać, ale odrzucony przez ojca schroniłem się do matki.

Ojciec w czasie pogrzebu zachowywał się tak, jak należy, i to wydawało mi się nie do przyjęcia. Płakał w podniosłych chwilach, a potem, kiedy grób był już częściowo zakryty, przyjmował wyrazy współczucia ze smutną twarzą. Po pogrzebie odczuwał widoczną ulgę. Ja tymczasem zachowywałem się odwrotnie. Podczas całego pogrzebu miałem kamienną twarz i nie wykonałem żadnego ruchu bez widocznej potrzeby. Tak że już w orszaku zaczęły się szepty, że tak nie wypada. Wprawdzie nie zachowywałem się jak Hamlet na pogrzebie Ofelii i nie błaznowałem, żeby ukryć wzruszenie, ale byłem poważny, jak przystało na pogrzebie matki. Dopiero po powrocie do domu, po powszechnej uldze, która zawsze następuje po pogrzebie, wyszedłem do ogrodu, a stamtąd ponownie na cmentarz.

To nie było daleko. Mój dziadek mieszkał tylko o dwa kroki od cmentarza. Wystarczyło przejść przez Dom Katolicki i przez drogę, żeby znaleźć się w jego wiecznym cieniu. Cmentarz był w owym czasie wysadzany tujami. Szarfy i wieńce wieńczyły grób mojej matki. Dookoła były groby jej sióstr, braci, mojej babki i dziadka, Jana Kędziora, który od dwóch lat tam spoczywał. Bez żadnych przeszkód odbyłem najważniejszy, być może, rachunek sumienia w ciągu całego życia. Był to klucz do dalszego ciągu postępowania, które zapewne w innych okolicznościach wyglądałoby inaczej. Jednocześnie było to pożegnanie z moją matką. Gdy umarła, poczułem się wolny. Zrozumiałem, że poświęciła się dla mnie. Odeszła w tej samej chwili, w której ja osiągnąłem dojrzałość.

Wróciłem do Krakowa, ale odtąd życie przedstawiało mi się zupełnie z innej perspektywy. Byłem sam, na dobre i na złe. To „złe" mną zawładnęło, zanim po latach „dobre" przywróciło mi równowagę.

Od pewnego czasu Leszek Herdegen utrzymywał kontakt z poetą Adamem Włodkiem, który był opiekunem Koła Młodych przy Związku Literatów w Krakowie. Włodek był postacią wielce oryginalną. Mały i gruby, z wielką skłonnością do tycia i z bujną czupryną nad niskim czołem, patrzący bystro, był synem zawodowego sierżanta i, na przekór ojcu, od dzieciństwa przejawiał skłonności lewicowe. Jednak był człowiekiem nad podziw otwartym na innych ludzi, zawsze w dobrym humorze, pełen energii i specyficznego dowcipu. Wkrótce stał się dla mnie, podobnie jak dla innych, przyjacielem. Zmarł nagle, w latach siedemdziesiątych.

Odwiedziłem go jeszcze w Krakowie, kiedy przyjechałem z Paryża w roku 1978 z francuskim paszportem, po piętnastu latach nieobecności w Polsce. Mieszkał wtedy przy ulicy

Daszyńskiego, w maleńkim pokoiku zapełnionym głównie gazetami sprzed wielu lat. Utrzymywał, że ma zbyt wiele do roboty i dlatego niektóre gazety odkłada na później. To „później" przedłużyło się do jego śmierci.

Jedno popołudnie po piętnastu latach — to za mało. Było gorące lato, na drugi dzień wyjeżdżałem do Warszawy. Na zewnątrz pozostał taki sam, ale charakter mu się zmienił. Oddał już legitymację PZPR i posiadł gorzką wiedzę człowieka, którego dobra wola, zapał i młodość zostały nadużyte do innych celów i zmarnowane.

Herdegen zaczął namawiać, bym wziął udział w czwartkowych przyjęciach u Włodków. Bałem się tego śmiertelnie, w tym czasie bowiem byłem zupełnie dziki. Dopóki trwała szkoła, jako tako stosowałem się do rytmu i utrzymywałem, nieliczne zresztą, przyjaźnie. Ale od czasu architektury zdziczałem.

Pokusa była silniejsza niż zwykle. O ósmej wieczorem, w towarzystwie Leszka, stawiłem się przed drzwiami przy ulicy Krupniczej 22, w drugiej oficynie na ostatnim piętrze.

Nie znałem nikogo z obecnych poza Leszkiem. Dopiero później nauczyłem się odróżniać poszczególne osoby. Żonę Włodka, Wisławę Szymborską (rozwiedli się później), młodego łysego mężczyznę w mundurze, dziennikarza (zdaje się, że jedyny był w krawacie) i jego żonę, niezdefiniowanego gładkolicego młodzieńca w czapce studenckiej, dwie lub trzy osoby „po cywilnemu" i parę kobiet. Wszyscy rozmawiali z ożywieniem, rozlegały się śmiechy, pito z umiarkowaniem. Rej wodził Adam.

— Schyłkowcze, jesteś! — zawołał na mój widok. Okazało się, że Leszek, opowiadając o mnie, użył uprzednio tego czy może pokrewnego słowa. Natychmiast podchwycone przez Adama, zostało przez niego użyte jako mój pseudonim. Odtąd mówiono do mnie „schyłkowcze” i tak już zostało przez rok czy dwa lata.

Przez cały czas przyjęcia nie zdążyłem z siebie wydusić ani jednego słowa. Na wszystkie próby nawiązania ze mną kontaktu odpowiadałem niemym spojrzeniem, za którym kryła się bezbrzeżna rozpacz z powodu tego, że byłem aż tak zdziwaczały. Moja separacja doszła w tym momencie do kresu.

Studiowałem nadal architekturę. Coraz częściej opuszczałem wykłady, ale krótki czas, jaki minął od początku października do późnego listopada, chronił mnie na razie od następstw. Pewnego razu wpadłem na pomysł, żeby przedstawić moje rysunki do oceny Tadeuszowi Brzozowskiemu, wówczas asystentowi katedry rysunków na architekturze. W budynku było ciemno i tak pusto, że trafiłem do jego drzwi dopiero po przebyciu licznych pięter i korytarzy. Zapukałem z biciem serca.

Tadeusza Brzozowskiego znałem z zajęć. Zawsze jednak przebywał wtedy w grupie studentów. Mówił cicho i z przesadną grzecznością, tak że nie było wiadomo, czy traktuje człowieka poważnie, czy może kpi. Teraz jednak, w pokoju tak dużym, że ginął w mroku przy świetle stojącej lampy, przyjął mnie serdecznie i ciepło. Natychmiast miałem wrażenie, że znamy się od lat. Domyśliłem się później, że w tych okrutnych czasach zachowywał się w grupie z podwójną ostrożnością. Był o dwanaście lat starszy ode mnie i o wiele bardziej doświadczony. Wiedziałem o tym i szanowałem go, a ta świadomość dodawała mi otuchy. Wkrótce straciłem go z oczu i nie wiem, czy z kimś się zaprzyjaźnił, ale mam nadzieję, że tak. Był bowiem człowiekiem bardzo, ale to bardzo towarzyskim.

Artyści, literaci, ludzie związani ze sztuką. To miałem zakodowane już od najmłodszych lat jako Polak przeciętnie inteligentny. Zazwyczaj unosili się w strefach prawie nieziemskich i nie mieli z nami nic wspólnego. Niewymownie cierpieli z przyczyn, które przerastały moje zrozumienie. Później, w miarę dorastania, cierpieli z powodu Polski, co już było dla mnie bardziej zrozumiałe. Głównie z powodów jej zależności od trzech państw: Austrii, Niemiec i Rosji. Ale nikt ich nie widział na własne oczy. Ja także nie.

Już po wojnie w Krakowie zaczął się ukazywać tygodnik „Przekrój", popularny również wśród młodzieży szkolnej. Co tydzień podziwialiśmy krótkie teksty pod tytułem *Zielona Gęś* Konstantego Ildefonsa Gałczyńskiego. To był literat, że tak powiem, całą gębą, poeta, i to niedzisiejszy, jeszcze przedwojenny. Leszek Herdegen chwalił się, że widział go w Warszawiance. Teoretycznie można go więc było spotkać w Krakowie. Również w podręcznikach szkolnych pojawili się literaci. Oczywiście tylko polscy, innych podręczniki nie uznawały, mimo że były przedwojenne. Chodziły słuchy, że u nas w Krakowie mieszkali Kydryński i Otwinowski. Ich też można było spotkać. Przynajmniej teoretycznie. Ale żeby sobie wybrać zawód literata — o tym nawet marzyć nie mogłem.

Zbliżał się Nowy Rok 1950 i zabawa sylwestrowa. Nie wiedziałem, co mam ze sobą zrobić. Był to pierwszy sylwester po maturze, a ja zostałem zupełnie sam. O mojej rodzinie lepiej nie wspominać, u Włodków nie byłem jeszcze zakorzeniony, a Leszek Herdegen gdzieś zniknął. A gdyby ktoś się nade mną zlitował i zaprosił mnie na bal, to ja nawet nie umiałem tańczyć. Z depresji wybawił mnie Tadeusz.

— Jeżeli nie masz co robić, to przyjdź do mnie do pracowni. Ulica Floriańska... — tu wymienił numer.

Udałem, że mam co robić i że rozważam parę propozycji. A 31 grudnia 1949 roku stawiłem się punktualnie pod wskazanym adresem. Ulica Floriańska nie była wtedy ulicą turystów i butików. Z Bramy Floriańskiej wyłaniał się śmieszny tramwaj i ledwo przeciskając się pośród odwiecznych murów, „pędził" po szynach do Rynku. Zupełnie jak jamnik, którego „pęd" pozostaje w sprzeczności z jego niewielkim korpusem. Na Floriańskiej było pusto. W Krakowie, przy Rynku, było sto razy mniej ludzi niż obecnie, a tłumny, stutysięczny sylwester pod gołym niebem został wynaleziony dopiero pięćdziesiąt lat później. Każdy przemykał, żeby zdążyć przed „szperą", a dozorcy już czekali na spóźniających się, żeby ich obarczyć dodatkową opłatą o godzinie dziesiątej. Do takiej kamienicy wszedłem i udałem się na piętro.

Tadeusz mieszkał od frontu. Dwa okna od ulicy były szczelnie zasłonięte, jak zresztą zawsze, gdy malował, a ulica Floriańska dawała niewiele światła nawet w dzień. W pokoju unosił się charakterystyczny zapach farb, tempery i innych przyborów malarskich. Drzwi wejściowe urządzone były sposobem gospodarczym i oddzielone od reszty zasłoną. Stropy — i to mnie zachwyciło — były nie prostokątne, ale łukowe jak w średniowieczu.

Kiedy wszedłem, zabawa już się zaczynała. Znowu, jak u Włodka, miałem wir w głowie i z trudnością rozpoznawałem tylko niektóre postacie. Inne widziałem po raz pierwszy, a jeszcze inne zatarły mi się w pamięci. Oczywiście był Tadeusz i jego rozpoznawalny starszy brat, trochę tylko roślejszy. Obaj z wysokim szlachetnym czołem, obaj w okularach i obaj z wąsami. Był

Jan Józef Szczepański z żoną Danusią, była Barbara Gawdzik — przyszła żona i przyszła matka dwóch synów Tadeusza, znakomita ilustratorka, absolwentka krakowskiej Szkoły Sztuk Pięknych. Był też trochę dziwny, przeraźliwie chudy i zbyt rasowy hrabia, mówiący od dziecka z francuskim akcentem. Potem akcent mu się urwał i hrabia zapadł w pijacki sen. I było tam wiele kobiet i mężczyzn, a może niezbyt wiele, tylko wszyscy ściśnięci ciasnotą pomieszczenia i wszyscy bardzo, bardzo młodzi.

Tam właśnie użyłem alkoholu po raz pierwszy w życiu. Nie piszę „nadużyłem", ponieważ do tej pory nie używałem go w ogóle. Z typową dla tej sprawy ignorancją nie wiedziałem, co piję ani jak, i z równie typową beztroską zauważyłem ze zdziwieniem, że jestem już pijany, później — że chory i że będę chory coraz bardziej. Alkohol budził mój wstręt z powodu ojca, ale kiedy rozstałem się z ojcem, wstręt do alkoholu minął.

Dlatego nie umiem dzisiaj opowiedzieć, z kim rozmawiałem ani o czym. Ostatecznie było to pięćdziesiąt pięć lat temu. Mogę tylko opowiedzieć, jakie wrażenie sprawił na mnie ten sylwester 1949/1950.

Po pierwsze — piłem z artystami. To nieważne, że nieudolnie i że byłem najmłodszy z nich. Ale tam po raz pierwszy miałem pewność, że będę do nich należał. To poczucie, że jestem nareszcie w domu, stało się w przyszłości otuchą w moim życiu.

Po drugie — piłem z kobietami, a raczej z pięknymi paniami, i to było niezwykłe.

I po trzecie — piłem w ogóle za przyszłość. Nie wiedziałem jeszcze, jaka ona będzie, ale ufałem, że będzie niezwykła.

Bez zawodu

W jakiś czas potem stałem przed tablicą zawierającą oficjalne ogłoszenia. Nagle uświadomiłem sobie, że jest mowa o mnie.

„Student Sławomir Mrożek zgłosi się natychmiast do Dziekanatu" — brzmiało ogłoszenie.

Spojrzałem ukradkiem w prawo i w lewo, sprawdzając, czy już zostałem dostrzeżony, i najpierw powoli, a potem coraz szybciej opuściłem lokal.

Nie, nie miałem już na to siły. Ta awantura w dziekanacie nie skończyłaby się tak łatwo. I po co? Tylko po to, żebym dalej pozostał na architekturze? W jednej chwili postanowiłem skończyć z architekturą i poczułem się lepiej. Więcej, jakbym się pozbył zbytecznego ciężaru. Jeszcze więcej: poczułem się znakomicie! Pozostała tylko odpowiedź na jedno pytanie. Za co ja będę żył?

Jak dotąd, ojciec udzielał mi pożyczki. Nie umiem tego nazwać inaczej. Dotąd była nadzieja, że wreszcie zostanę architektem i będę zarabiał, a wtedy zwrócę mu pieniądze. Były to nędzne sumy, które otrzymywałem z nieokreślonymi przerwami. Ale ojciec dawał mi je w nadziei, że ja przesunę go w statusie społecznym o stopień wyżej. On był chłopem, do czego się nie przyznawał, a ja — jego syn — miałem zostać architektem.

Ale nie stać mnie było, by mu to oznajmić. Stchórzyłem. Uznałem, że poczekam jeszcze trochę, niech na razie ma złudzenia, a potem zobaczymy. Z tą myślą oddaliłem się z politechniki na zawsze.

Wkrótce potem, stojąc na pętli w Rakowicach koło cmentarza i czekając na tramwaj, kupiłem „Szpilki" — wychodzące już wtedy cotygodniowe pismo satyryczne. Otwarłem je i nie wierzyłem własnym oczom. W rubryce „Szukamy nowych współpracowników" było rozstrzygnięcie konkursu i jako nowy współpracownik figurowałem ja! I to w podwójnej konkurencji: na humoreskę i na rysunek! Dwie pierwsze nagrody!

Parę miesięcy wcześniej napisałem tę humoreskę na maszynie Leszka Herdegena, która nie zawierała polskich znaków. Jego ojciec po oflagu został jeszcze w strefie amerykańskiej, jeździł po Niemczech i tropił z ramienia Czerwonego Krzyża polskie dzieci z Zamojszczyzny przeznaczone do germanizacji. Przysłał Leszkowi tę maszynę jako prezent, obok kurtki, spodni, swetra i skórzanych spinaczy do trzewików. Wykonałem też ten rysunek, teraz reprodukowany w tysiącu odbitek egzemplarza „Szpilek", który trzymałem w ręku. Ale wysłałem go do redakcji, nie bardzo wierząc w powodzenie. Teraz ta podwójna pierwsza nagroda uszczęśliwiła mnie.

Już nie było przeszkód, żeby przyznać się ojcu do zaniechania architektury. Miałem już finansowe, choć nikłe podstawy ku temu. Zostałem więc dostarczycielem rysunków do zapełnienia ostatnich stron, zwanych satyrycznymi, w dziennikach i tygodnikach. Mniejsza na razie o humoreski, które zajmowały za dużo miejsca. Za to rysunek zawsze gdzieś można było upchać.

Niespodziewanie ojciec nie stawiał takiego oporu, jakiego oczekiwałem. Uświadomiłem sobie, że moja przyszłość nigdy go specjalnie nie interesowała, i sprawiło mi to ulgę. Był fantazjującym egoistą. Większą część życia wypełniała mu wyobraźnia, praca na poczcie i alkoholizm, który wytrzymywał nad podziw dobrze dzięki żelaznemu zdrowiu. Jedyne, co mam po nim, to fantazje, które z trudem oddzielam od rzeczywistości.

Wiosną przeniosłem się na dobre do Herdegena. Na Prażmowskiego zaglądałem tylko od czasu do czasu i szybko uciekałem. Nie mogłem znieść bezradności ojca wobec mojej siostry. Kończyło się z reguły awanturami. Ta rodzina zaczęła mi się wydawać jednym wielkim nieporozumieniem.

Na strychu u Herdegena miałem przynajmniej spokój. Miałem tam łóżko i nie miałem żadnych sąsiadów dookoła. Myłem się w zimnej wodzie pod kranem, chodziłem spać o najróżniejszych porach, a rodzina Leszka, choć liczna, bynajmniej mi nie przeszkadzała.

Rodzina Herdegenów była zamożna. Leszek był synem siedemnastoletniej dziewczyny i siedemnastoletniego chłopca, którzy pokochali się w gimnazjum. Potem jego matka wyjechała aż do Australii i nigdy nie wróciła do Polski. Nadeszła wojna, ojciec — podchorąży rezerwy — bił się z Niemcami, dostał się do niewoli i przesiedział w oflagu do końca wojny. Inny oficer z rodziny Herdegenów zginął w Katyniu, co wtedy było publiczną tajemnicą.

Leszek od dzieciństwa wychowywał się wśród ciotek, wujków oraz wszelakich babć i stał się ulubieńcem nianiek. Ale nie miał mamy. Konsekwencje tego faktu były zarówno dla niego samego, jak i dla otoczenia od początku widoczne.

Leszek tyranizował bliskich, robił z nimi, co chciał. Toteż moja pozycja u jego boku była drażliwa. Z jednej strony byłem dumny, że mogłem grać rolę książęcego powiernika, z drugiej — czułem się niezręcznie wobec tamtych osób, które były aż tak upokarzane.

Dla żartów rysowałem go wielokrotnie i do dzisiaj pamiętam jego twarz. Był mojego wzrostu, chudy, ale wtedy wszyscy byliśmy chudzi, z bladą cerą, z włosami blond zaczesanymi do góry, wtedy jeszcze gęstymi, co było ważne ze względu na jego aktorską przyszłość. Miał dość bezbarwne, małe oczy zbliżone do siebie, również bezbarwne brwi, prosty, duży nos, pełne usta i podłużną, zwężającą się brodę. Ale najbardziej charakterystyczną i dla pań uroczą cechą były dwa dołeczki na policzkach, stale żywe i obecne, rozjaśniające się w uśmiechu. Poza tym stale słyszało się jego głęboki bas o niezwykłej barwie. Leszek uchodził za najprzystojniejszego mężczyznę w Krakowie i o tym wiedział.

Trudno mi o nim pisać. Znałem go od pierwszej klasy licealnej aż do mojego wyjazdu do Warszawy w 1959 roku. Przez pewien czas widywaliśmy się co najmniej dwa razy dziennie. On mieszkał na Świerczewskiego 17, naprzeciw ogrodów ojców kapucynów, a ja na strychu tego samego domu. Obiad jadaliśmy wspólnie w Domu Literatów. Przez pewien czas byliśmy nierozłączni. „Młode lwy", co oznaczało dwójkę pretensjonalnych gówniarzy na dorobku. On — odnoszący coraz to liczniejsze sukcesy w Starym Teatrze, ja — wspinający się coraz wyżej.

W miarę upływu lat coraz częściej wykrywałem u niego nieścisłości, potem niekonsekwencje, a potem uporczywe mijanie się z prawdą. Kiedy ma się siedemnaście lat, sprawa charakteru nie odgrywa wielkiej roli, ale potem zaczyna być ważna. W sprawie Leszka była coraz ważniejsza. Stopniowo odkrywałem, że pogoń za efektem i natychmiastowym aplauzem u publiczności, i to za wszelką cenę, była główną i stałą cechą jego charakteru. To mogłoby uchodzić za cechę aktora. Ale wyszły na jaw rzeczy jeszcze poważniejsze. Takie, które w jego przypadku decydują nie o uprawianym zawodzie, ale o życiu.

Dlatego nie chcę o nim pisać. Wiem o nim wiele i zabiorę to, co wiem, do grobu. Nie jest on wyjątkiem. Dotyczy to wielu osób i w pewnej mierze mnie samego.

Życie przy Świerczewskiego pod numerem 17 znacznie zbliżyło mnie do Włodka, który mieszkał przy ulicy Krupniczej pod numerem 22. Wystarczyło wychylić się z mojego strychu, by ponad drzewami czwartego piętra w otwartym oknie dostrzec jego obfitą czupryne z mołojeckim lokiem i otyłą sylwetkę. W dodatku nagą. Włodek miał bowiem zwyczaj przestawać w domu nago, gdy temperatura zbliżała się do trzydziestu stopni Celsjusza. Często przychodziłem do niego tuż przed południem, gdy za pomocą wielkiego garnka warzył w kuchni jakąś obrzydliwą naukową kawę z cykorią. Twierdził, że potrzebuje na śniadanie około litra tej pseudokawy i nic więcej. Potem ubierał się niezobowiązująco i szliśmy do baru mlecznego, gdzie jadł osiem bułek, odpowiednią ilość masła i jajecznicę z pięciu jaj. Spełniwszy ten obowiązek wobec jego organizmu, szliśmy załatwić to i owo. Pozdrawialiśmy jego znajomych, czasami przystając na dłuższą pogawędkę. Włodek miał przy sobie chlebak wypchany książkami i czasopismami. Stawał przy księgarniach, a niekiedy wchodził do środka. Z księgarzami był za pan brat.

Pod wieczór szedłem do domu, czyli na strych. On również szedł do domu, żeby zabrać się do pisania. Przygotowywał się do tego przez cały dzień. Widać było, jak rośnie jego niepokój, ekscytacja i niecierpliwość. Czy podczas pisania tej nocy objawi mu się coś, co nie objawiło mu się dotąd?

Włodek był komunistą. Jedynym komunistą, jakiego wtedy znałem. Później namnożyło się ich dosyć. Mogę dodać, że Włodek był komunistą entuzjastą. Już później, za granicą, słyszałem o nim brzydkie rzeczy. Że donosił na UB bez względu na przyjaźń, która u Polaków była rzekomo w wysokiej cenie. Na pół w to wierzyłem, na pół nie, to znaczy zachowywałem rezerwę. Taka możliwość nie była wykluczona. W tym okresie partia była wszystkim i wierność jej była jego najświętszym zadaniem. Wbrew logice wszelkie jej wskazania znajdowały u niego natychmiastowy posłuch. Tito był zdrajcą? Tak jest, był zdrajcą. Knowania lekarzy, a tak się jakoś złożyło, że byli to żydowscy lekarze, przeciwko Stalinowi? Tak jest, przeciwko Stalinowi. Czy nie mówiłem, że Włodek był komunistą entuzjastą?

W okresie terroru Urząd Bezpieczeństwa Publicznego był sercem partii. Tak świętym, że mówiło się o nim z pobożną zgrozą, czyli nie mówiło się wcale albo jak najmniej. I to po obu stronach, ze strony partyjnych i ze strony prześladowanych przez partię. Wspólnym motywem był ten sam lęk. Partyjni, którzy mieli coś wspólnego z UB, spotykali się z dyskretnym milczeniem na ten temat ze strony pozostałych towarzyszy. O tym nie mówiono. Nawet Stalin bał się, lęk przenikał od Stalina do samego dołu.

W rozmowie ze mną Włodek nie ukrywał swoich przekonań. Mówił o nich otwarcie, w sposób zupełnie naturalny.

Miał swój dosadny język, bardzo zabawny, po części knajacki, z nieoczekiwanymi zwrotami z innych dziedzin. A ja, ponieważ było mi wszystko jedno, nie protestowałem ani nie aprobowałem. Trwałem w mojej pozie schyłkowca. On, znając „oręż marksizmu", spodziewał się, że prędzej czy później wpadnę w jego sieci. Dwudziestoletni schyłkowiec to rzecz śmieszna i w tym stylu nie mogłem wytrwać.

Czasami dochody z rysunków nie wystarczały mi na jedzenie. Starałem się temu zaradzić, imając się różnych legalnych i nielegalnych zajęć. Do nielegalnych należał handel papierosami. Ojciec pobierał jeszcze deputat z darów amerykańskich w postaci papierosów Lucky Strike, ale widać było, że to się kończy, ponieważ z nastaniem socjalizmu kończyło się wszystko. Ojciec palił tylko swoje, polskie, i należało podebrać amerykany, żeby sprzedając je na mieście, uzyskać kilkunastokrotną cenę. Pierwsza próba poszła gładko. Udałem się pod Pocztę Główną z papierosami dyskretnie umieszczonymi w małej walizce i z biciem serca sprzedawałem je okazyjnym przechodniom. Druga próba skończyła się fiaskiem. Zaledwie pokazałem się przed Pocztą Główną, podszedł do mnie jakiś mężczyzna i wyraźnie dał mi do zrozumienia, żebym „s...dalał". Okazało się, że na Poczcie Głównej i nie tylko tam działa mafia i nie dopuszcza konkurencji. Na tym skończyły się moje nielegalne transakcje.

Spotkałem kolegę ze szkoły. Kolega był synem restauratora na ulicy Zwierzynieckiej. Była to mała knajpa dla pijaków i właściciel potrzebował kogoś, kto by wykonał dla niego jadłospis. Sądząc po piśmie właściciela i poziomie graficznym karty dań, pilnie potrzebowano pomocy. Wykonałem jadłospis i dostałem obiad.

Po znajomości zostałem przyjęty do teatru jako statysta. Teatr mieścił się na ul. Skarbowej, w sali związków zawodowych. Grano jakąś sztukę Leonowa. Treść sztuki była następująca:

Związek Radziecki, rok 1941. Scena przedstawia celę więzienną po zwycięstwie (chwilowym) Niemców. Różne elementy społeczeństwa radzieckiego czekają na rozstrzelanie. Między innymi bohaterska nauczycielka, kułak, który teraz pokazał swoje kułackie nasienie, ale mają go rozstrzelać mimo wszystko, ja — postać epizodyczna — i inni nieszczęśnicy. Ja, dogorywający, w łachmanach, leżę na podłodze. Nauczycielka stoi. Lecz co to? Zamiast faszystowskich gadów pojawiają się radzieccy partyzanci, już są na podwórzu. Jaka radość dla uwięzionych! Ja zrywam się i słaniając się, idę do zakratowanego okienka. Tu odgrywam odpowiednią scenę, ciągle niemą, podczas gdy radziecki partyzant z pepeszą otwiera drzwi i oferuje nam wolność. Nauczycielka wychodzi pierwsza, potem inni, a ja, ciągle się słaniając, ostatni. Po drodze rozpamiętuję silne wrażenie, jakie przedtem odniosłem, gdy leżąc przed nauczycielką, zaglądałem jej pod spódnicę.

To przedstawienie było dochodowe, ponieważ grano je kilkanaście razy, głównie dla szkół. Reżyserem był Edzio Rączkowski, aktor Teatru Młodego Widza, z którym później sąsiadowałem przez ścianę. Najmilej go wspominam. Dodaję, że rolę wychudzonego wybrał dla mnie, ponieważ byłem rzeczywiście wychudzony.

Z pewnego punktu widzenia życie à la kloszard ma swoje dobre strony. Jest bardzo urozmaicone i powoduje różne zabawne sytuacje. Zaszedłem kiedyś do pracowni Tadeusza Brzozowskiego. Nie pamiętam już, o czym mówiliśmy, kiedy

Tadeusz zwrócił uwagę na moją lewą stopę, na którą od jakiegoś czasu utykałem. Zapytał o przyczynę. Miałem ohydne, bardzo stare buty, a moje skarpetki były dziurawe, ale nie widziałem powodu do robienia sensacji. Tadeusz jednak nalegał. Chciał to obejrzeć. Zdjąłem lewy but i skarpetkę. Moja lewa stopa, bardzo brudna, była już całkiem opuchnięta. Było to po północy, ale Tadeusz nastawał, abyśmy natychmiast udali się do szpitala, który miał właśnie ostry dyżur. Czekając na przyjęcie, byłem jednocześnie świadkiem, jak pijany kolejarz, któremu obcięło obie nogi, leżąc na noszach, powtarzał monotonnie: „kurwa, kurwa". Kiedy przyszła kolej na mnie, stwierdzono zakażenie krwi i niezwłocznie zarządzono zabieg. Zgodnie z procedurą, wykąpano mnie, co do tej pory wspominam z rozkoszą. Poznałem również etyl, staromodny już środek znieczulający, znany z tego, że potem powraca się długo do przytomności, ciężko wymiotując. No i zostałem zoperowany.

Zostałem jeszcze przez tydzień w ciasnym baraku z sześcioma osobnikami w różnym wieku. Pisałem jakieś podanie niepiśmiennemu parobkowi i nasłuchałem się opowiadań, z których każde mogłoby starczyć za opowieść. Wtedy jeszcze nie było w szpitalach telewizji, więc pacjenci rozmawiali i czerpali z tego satysfakcję.

Ale nie zapomniałem o studiach. Tym razem zamiast architektury miało to być czyste malarstwo. Świeżym impulsem było spotkanie z Tadeuszem Brzozowskim, jednak zamiłowanie do malarstwa miałem jeszcze z lat szkolnych. Tuż po wojnie przeczytałem parę książek Tadeusza Boya-Żeleńskiego. Obraz Krakowa w wieku XIX i w pierwszej połowie wieku następnego, do września 1939 roku, pozostał we mnie na stałe. Tylko że nastąpiła pomyłka w czasie. Wyobrażałem sobie, że od tamtego czasu nic się nie zmieniło, podczas kiedy nie był to już wiek XIX, ale rok 1950. Ciągle więc śniły mi się peleryny dekadentów, Hawełka, profesorowie akademii nakreśleni przez Boya-Żeleńskiego, Modrzejewska — słowem cały Kraków nietknięty przez czas. I z tą myślą zamierzałem przystąpić do egzaminu do Szkoły Sztuk Pięknych w Krakowie, która tymczasem została przemianowana na Państwową Wyższą Szkołę Sztuk Plastycznych.

Czwartkowe zebrania u Włodków odbywały się w dalszym ciągu, ale nie byłem już tak nieśmiały jak na początku. Z czasem zacząłem pisać krótkie konspekty dla mnie i dla Leszka. Był to rodzaj absurdalnych miniprzedstawień, wykorzystujących minimum środków. Byliśmy równorzędnymi aktorami, klownami, ale na poważnie. W ten sposób wznieśliśmy się na poziom nieco wyższy od dzisiejszych „talków na wesoło", w których aktorzy robią, co mogą, aby dorównać widowni w błaznowaniu. Nasza nader skromna publiczność była oddzielona od nas, wykonawców, tylko umowną linią. Jednak odwrotnie do obecnego założenia, że zarówno wykonawcy, jak i publiczność są aktorami, aktorami byliśmy wyłącznie my.

Wspomina o tym Andrzej Klominek w książce *Życie w „Przekroju"*. Jest to monografia tygodnika „Przekrój", wydana przez Iskry w roku 1998. Byłem później jednym z autorów „Przekroju", ale tylko jako rysownik, nigdy jako felietonista. I tak dochodzimy do lipca 1950 roku.

Dzisiaj, kiedy codzienne informacje są rzeczą naturalną, nie możemy sobie wyobrazić, jakim zaskoczeniem była wiadomość o narodzinach Nowej Huty. Została ona uroczyście ogłoszona podczas zjazdu Polskiej Zjednoczonej Partii Robotniczej w Warszawie. Był to wynik decyzji politycznych i wojskowych, które sięgały aż do Moskwy. Ograniczmy się jednak do Krakowa i jego mieszkańców.

Dla Włodka nadszedł czas czynu. Nieomylnym tego znakiem był znowu przewieszony przez ramię i wypchany najnowszymi gazetami chlebak, z którym nie rozstawał się ani na chwilę. To było apogeum w całej jego karierze, zanim wystąpił z partii. Inne jego akcje, na przykład wojna koreańska, która nastąpiła w następnym roku, były mniej spektakularne. Włodek nie musiał jechać aż do Azji, by się do niej przyłączyć. Poczciwa, żyzna i bezbronna wieś podkrakowska, tuż pod jego bokiem, zastąpiła mu egzotyczne kraje. A jednocześnie „zadanie do wypełnienia", po bolszewicku, po radziecku, było kolosalne jak Magnitogorsk na Uralu. Przerobić tę ziemię na Nową Hutę.

Włodek postanowił mnie użyć. „Użyć mnie" — to za wiele powiedziane, zważywszy dysproporcję zadania i mnie. Tak wielkie przedsięwzięcie nie może się obejść bez poważnych zmian w całym kraju. Jeden dwudziestoletni, nieznany nikomu nic tu nie wskóra. Ale Włodek postanowił mnie użyć na znacznie mniejszą skalę. Zdecydował, że reportaż na 22 lipca 1950 roku — data ważna dla miasta, którego jeszcze nie było — napiszę ja.

Nie miałem pojęcia, jak się pisze reportaże ani jak się pisze cokolwiek. Do tej pory napisałem tylko jedną humoreskę na konkurs, która została wydrukowana w „Szpilkach". Ale obudziła się we mnie ambicja, a dokładniej — ambicja pisarska.

Gdybym zaczął pisać później albo gdybym miał wtedy światopogląd już mniej więcej ukształtowany, nie byłoby reportażu o Nowej Hucie w 1950 roku. Ale urodziłem się w rodzinie chłopskiej i półinteligenckiej, która nie prezentowała wyraźnego światopoglądu. Trudno więc go było oczekiwać ode mnie, kiedy miałem dwadzieścia lat. Dlatego w roku 1987, już w Paryżu, kiedy odpowiadałem na ankietę, napisałem:

„Mając dwadzieścia lat, byłem gotowy do przyjęcia każdej propozycji ideologicznej bez zaglądania jej w zęby, byle tylko była rewolucyjna. A to dlatego, że byłem już gotów do mojej własnej, prywatnej rewolucji. Mistrzowie doskonale o tym wiedzieli. Manipulowanie młodością należało do ich rutyny. I tak ku mnie śpiewali, trącając w romantyczną lirę: «Pójdź z nami, młody człowieku. To, co tobie oferujemy, jest dokładnie tym, czego ty potrzebujesz. Ty i my chcemy tego samego, różnica między nami jest tylko taka, że my wiemy, jak to osiągnąć, a ty nie wiesz. Tak, ten świat jest zgniły, razem go wykończymy, a potem zbudujemy nowy».

I tak miałem szczęście, że nie urodziłem się Niemcem, rocznik — powiedzmy — 1913. Byłby ze mnie hitlerowiec, ponieważ technika werbunku była taka sama. Ale dlaczego szczęście, skoro nie było zasadniczej różnicy między nazizmem a komunizmem? [...] Trafiłbym na wojnę po niemieckiej stronie, ja, już dorosły, i miałbym znacznie większe szanse popełnienia dużo brzydszych rzeczy niż te, które popełniłem jako komunizujący pętak w roku 1950. [...] Niestety, nie byłem młodzieńcem wyjątkowym. Z takich jak ja rekrutowano kiedyś zarówno do Hitlerjugend, jak i do Komsomołu we wczesnym, bohaterskim okresie obu ideologii, zanim przynależność partyjna stała się już tylko kwestią oportunizmu. Sfrustrowani, niepotrzebni i zbuntowani młodzieńcy są obecni w każdym pokoleniu, a to, co ze swoim buntem zrobią, zależy tylko od okoliczności" (tekst napisany po angielsku dla *Gale Research — Contemporary Authors Autobiography Series* w USA, w powyższym fragmencie został przełożony na język polski przez autora i opublikowany w edycji *Mrożek w Krakowie*, Kraków 1990, z okazji Festiwalu Mrożka w Krakowie w czerwcu 1990 roku).

Oczywiście był we mnie opór, niechęć wobec marksizmu. Mam tu na myśli mój „schyłkizm". Jak sama nazwa wskazuje, był to opór dziecinny, niepoważny, gotowy ulec każdej innej propozycji. Tą propozycją była pisarska oferta, którą złożył mi Adam Włodek.

Ta pokusa była znaczna. Mówiąc prawdę, oszałamiająca. W Krakowie, w roku 1950, nagle wychynąć z nicości, mając zaledwie dwadzieścia lat... I to gdzie! W „Przekroju", w piśmie, które już wtedy było uważane za najpopularniejsze w Polsce. Włodek bowiem wymyślił, że to właśnie „Przekrój" będzie redakcją, gdzie ukaże się mój reportaż.

Pomysł z pozoru bez sensu, ale jak się bliżej zastanowić, miał on swoją logikę. Włodek miał wtedy wiele do powiedzenia w Związku Literatów, był również odpowiedzialny za Koło Młodych. Marian Eile, redaktor naczelny, musiał umieścić reportaż. Na to nie było już rady, chciał więc, żeby autorem tego tekstu był człowiek młody i nieznany publiczności. W ten sposób chronił swoich współpracowników przed kompromitacją.

Już słychać było w Warszawie, że młodzi pisarze ruszyli do boju. Nie przytaczam tu nazwisk, niech każdy rozlicza się ze swojego życia tak, jak potrafi. Niektórzy z nich już nie żyją, a wielu dawno zmieniło przekonania. Tworzyła się więc warszawska marksistowsko-stalinowska grupa, której hasłem było: „Rewolucja!". Inni, przeważnie starsi, schodzili do podziemia. A że to podziemie już w 1950 roku straciło rację bytu, przygotowywali się do długiego marszu w biedzie i poniżeniu. Było ich niewielu.

„Rewolucja!" — to słowo spadło im jak z nieba w postaci Nowej Huty. To było akurat miejsce, w którym „rewolucja" mogła się zdarzyć. Znaczna liczba młodych pisarzy przyjechała do Krakowa, inni byli spodziewani w najbliższym czasie. Wszyscy przyjechali, żeby pisać opowiadania i reportaże. Eile musiał się śpieszyć.

Dzień wstał słoneczny. Pojechaliśmy tam ciężarówką zorganizowaną „po linii partyjnej" przez Adama Włodka, który od rana wykazywał podwójny zasób energii. Ciężarówka, zdaje się typu ZIS, po radziecku prosta, miała tylko szoferkę bez dachu i przybrana była zielenią. Z jakichś powodów, może dlatego, że tylko parę dni dzieliło nas od 22 lipca, wszystko przybrane było zielenią i czerwonymi flagami. Stałem za szoferką, przewidując upał. Byłem w koszuli, miałem bujne włosy i nieproporcjonalnie małe, okrągłe i dziwnie zbliżone do siebie okulary. Od dwunastego roku życia nosiłem te same okulary w rogowej imitacji. Z czasem pękły pośrodku i zlepiłem je plastrem. Stałem w towarzystwie Adama i paru osób, ale jakich, nie pamiętam, i mrużyłem oczy do porannego słońca. Droga wydawała mi się długa, nigdy w życiu bowiem nie jeździłem na wschód od Krakowa. Zazwyczaj na wycieczki chodziło się w stronę odwrotną, na zachód, w kierunku słońca. Linia tramwajowa kończyła się pętlą przy Kieleckiej, koło fortu na Rakowicach.

To, co spotkałem w przyszłej Nowej Hucie, było dokładnie takie samo jak to, czego nie lubię najbardziej. Ta podkrakowska wieś nie była już sobą i stawała się nieokreślonym konglomeratem. „Wielkie piece" były mitycznym celem, ukoronowaniem tej działalności, jeżeli założymy, że komuś rzeczywiście na tym zależało, czyli że był prawdziwym komunistą. Ale Nowa Huta przedstawiała się jako nonsens.

Nawiasem mówiąc — jak można było narodowi proponować marksizm, już wtedy zamknięty system sprzed prawie stu lat bez mała, ze wszystkimi atrybutami tego systemu? Jak można było wielbić wielkie piece, kiedy odchodziły już w przeszłość, a na Zachodzie proletariat zamieniał się w klasę średnią? Ale tu kłania się Związek Radziecki, a ja już milknę.

Przebyłem tę Nową Hutę w stanie otępienia. Nie pamiętam nic, to znaczy, że nic nie było do zapamiętania, choć wiele się działo. Chodziłem, usiłując nabyć oko reportera. Wpatrywałem się w kopiących rowy junaków ze Służby Polsce, rozebranych do pasa — bo pogoda była jak marzenie — w spłowiałych, jednakowych furażerkach i takich samych szerokich spodniach. Ale nie znalazłem w nich nic ciekawego ani szczególnego. Sam byłem junakiem, powołanym do służby jeszcze przed maturą w 1948 roku, właśnie w lipcu i sierpniu. Staliśmy wtedy w kazamatach w forcie Boernerowo w Warszawie i budowaliśmy tam tajne lotnisko wojskowe. Więc dla mnie nie było to nic wielkiego. Uważałem też pilnie na chłopów, którzy przyjeżdżali z okolic Nowej Huty z końmi i wozami jako „ludność kontraktowa". Ci wywozili ziemię, ale chłopi, jak to chłopi, nie byli dla mnie żadną sensacją, byłem z nimi od dziecka. Więc oko reportera nie reagowało, ale nie dawałem za wygraną.

Odbyłem też posiedzenie z ówczesnym wodzem grupy Rewolucja przybyłym na krótko z Warszawy. Jego nazwisko było kiedyś bardzo znane. Obsiedliśmy go półkolem, my — „aktyw partyjny", ludzie w moim wieku, i „socjalistyczni dziennikarze", wtedy również młodzi. On milczał po radziecku, czyli czujnie. Ja też milczałem, z normalnej nieśmiałości, a także z podziwu, że w tak młodym wieku zaszedł tak daleko. Dopiero później nauczyłem się oceniać ludzi, niekoniecznie według wieku.

Krótką lipcową noc spędziłem na sali z wieloma junakami w nowo wybudowanym baraku. To — z uwagi na doświadczenie sprzed zaledwie trzech lat — napawało mnie niewielkim entuzjazmem. Potem coś jeszcze się zdarzyło, ale nie pamiętam co, i z pewną ulgą wróciłem do Krakowa tą samą ciężarówką z Włodkiem i z pozostałymi.

A jednak w parę dni później napisałem mój reportaż i sam się zachwyciłem tym, jaki byłem zdolny. Napisałem go na zasadzie totalnego, symetrycznego odwrócenia tego, czego nie lubiłem najbardziej, na to, co rzekomo lubiłem. A zadziwiające jest to, że napisałem ten reportaż bez odrobiny cynizmu. Było to arcydzieło złego pisania, czyli pisania nieprawdy, a kluczem do niego była bajka o Polsce, która właśnie wstąpiła w świetlaną przyszłość. Gdyby nie młody wiek, mógłbym się narazić na przypuszczenie, że oszalałem.

Czego tam nie było! Zacząłem od tego co najważniejsze, ponieważ bajka powinna mieć umoralniający cel: nareszcie szczęśliwa Polska, bo pod przewodem marksizmu, leninizmu i pod wodzą partii. W wiele lat później, już na emigracji, oglądałem telewizję. Była to historyczna już emisja filmu Leni Riefenstahl o Hitlerze sprzed wojny, na cześć którego urządzono Parteitag w Norymberdze. Nagle nadstawiłem uszu i odkryłem dalekie echa tamtego czasu. Junacy, jeszcze nie żołnierze, ale już młodzi ludzie, w sportowych podkoszulkach, maszerowali karnie, bez broni, ale z łopatami. Nastrój uroczysty i poważny, w przededniu wydarzeń o niesłychanej wadze, ale na razie cicho, sza. Coś mi on przypomniał. Nieznośna dętość tego wszystkiego była śmieszna i odrażająca. Hitler miał sen śmieszny i odrażający zarazem.

Odniosłem tryumf. Przyjaciele Włodka gratulowali mi, nieznani starsi panowie, czytający „Przekrój", pytali z niesmakiem po kawiarniach: — Kim jest ten Mrożek? — i tylko wokół mnie zrobiła się pustka. Upojony sukcesem, nie zwracałem na to na razie uwagi.

Nadszedł wrzesień i wraz z nim mój egzamin do Szkoły Sztuk Pięknych. Tym razem byłem pewien, że zostanę przyjęty. Wydawało mi się, że byłem na tyle zdolny, żeby na to zasłużyć, i nie pomyliłem się. Dziwiły mnie tylko zmiany, które stopniowo wykrywałem w funkcjonowaniu uczelni. Znowu dyscyplina studiów, preferencja robotników i chłopów, apel do studentów, żeby wzięli udział w „Dniu Wielkiego Października — święta Rewolucji". Może świeże przemianowanie Szkoły Sztuk Pięknych na Państwową Wyższą Szkołę Plastyczną powinno być dla mnie dostatecznym ostrzeżeniem. Jakoś robotnicy i chłopi nie za bardzo nadawali się na artystów. Ale skądinąd gmach na placu Matejki był ciągle ten sam, a Boy-Żeleński był nadal aktualny. Z tego wniosek, że sprzeczność między tym, co mi się podobało, a tym, co nie, pozostała bez zmian. Ale z jednej strony napisałem ten sławny reportaż, w którym wyrażałem moje totalne poparcie dla marksizmu-leninizmu, podczas gdy z drugiej strony, gdy przyszło do rzeczy konkretnych, protestowałem przeciwko temu samemu marksizmowi-leninizmowi. Mój zamęt ideologiczny pogłębiał się coraz bardziej.

Praca w „Dzienniku Polskim”

Trwało to zaledwie parę tygodni i wkrótce podjąłem decyzję, która nie zasługiwałaby na aż tak szlachetne miano, gdyby nie była przymuszona okolicznościami. W „Dzienniku Polskim” zabrakło dziennikarza i pilnie go potrzebowano. Doniósł mi o tym Adam Włodek i zapytał, co ja o tym sądzę.

Zdecydowałem się więc na kolejną zmianę mojej sytuacji. Miałem za sobą prawie rok niedostatku, niekiedy nędzy, i miałem tego dosyć. Potrzebowałem choć trochę środków do życia, najlepiej stałej pensji, i oferta „Dziennika Polskiego” przyszła w samą porę. Na razie zrezygnowałem z „czystego malarstwa”. Byłem jeszcze w tym wieku, w którym żadna propozycja nie jest ostateczna, dopiero później koło się zamknęło. Miałem zamiar powrócić do sztuk pięknych, gdy „robotnicy i chłopi” odpoczną sobie i nie będą już chcieli zostać artystami. Ale nade wszystko chciałem pisać i drukować. Nie wyobrażałem sobie jeszcze, w jakiej formie miało być to pisanie, a tym bardziej — drukowanie. Więc po raz pierwszy zawitałem do „Dziennika Polskiego”.

Zostałem przyjęty w sekretariacie, a po krótkiej chwili w gabinecie u naczelnego. Pamiętam twarz naczelnego redaktora. Był to Stanisław Witold Balicki, przedwojenny współpracownik koncernu IKC, czyli „Ilustrowanego Kuriera Codziennego". Koncern IKC należał do Mariana Dąbrowskiego — przedwojennego magnata, który wychował wielu znakomitych dziennikarzy. Uderzył mnie wygląd Balickiego, jego młoda twarz, ogrom postaci i otyłość, ale przede wszystkim coś szczególnego, z czym ja, Mrożek z Borzęcina, nie miałem okazji się zetknąć. Prezentował nieznoszący sprzeciwu majestat i był potomkiem, jak to się wtedy mówiło, klas wyższych. Miał w sobie coś, co miał przedwojenny prezydent Rzeczypospolitej, Ignacy Mościcki, w odróżnieniu od Osóbki-Morawskiego, do którego już wtedy zdążyłem się przyzwyczaić. To było coś, co później w Londynie obserwowałem u byłych dostojników emigracji grających w brydża. Inna sprawa, że pod pozorem „tego czegoś" mogła się ukrywać po prostu głupota.

Naczelny zadał mi parę konwencjonalnych pytań i oświadczył, że od dzisiaj mogę pracować. Po czym wezwał redaktora Szydłowskiego, odpowiedzialnego za dział miejski, i oddał mnie w jego ręce.

Kilka lat temu, już po powrocie do Polski, natrafiłem w „Dzienniku Polskim" na wspomnienie z owych czasów. Nie mam możliwości weryfikacji tych informacji u źródła, toteż cała sprawa ma charakter bardziej legendy niż stwierdzonego faktu — i jako taką ją przekazuję. Po moim wyjściu z gabinetu Stanisław Witold Balicki ukazał się w sekretariacie i wygłosił tekst mniej więcej następujący: „Czy pani widziała tego chudzielca w okularach? Proszę sobie zapamiętać, że za parę lat będzie o nim głośno".

Szkoda, że Stanisław Witold Balicki nie powiedział tego tekstu publicznie. Oszczędziłoby mi to wielu lat udręki i nadziei.

Ręka redaktora Szydłowskiego była twarda, lecz wkrótce się okazało, że sprawiedliwa, a sam człowiek był pełen dobroci. Dzisiaj, po latach, biorę pod uwagę jeszcze jedno: starzenie się, gdy idą nowe a burzliwe czasy. Redaktor Szydłowski, również redaktor IKC, przez pięć lat był pozbawiony zawodu. Podczas okupacji jedynym dziennikiem w Krakowie był „Goniec Krakowski", dziennik wydawany przez Niemców. Po wojnie redaktor Szydłowski powrócił do „Dziennika Polskiego", ale widział, co się dzieje. Jedynym wyjściem dla niego była emerytura. Mam nadzieję, że się jej doczekał.

Pierwszą notatką zamieszczoną przeze mnie w „Dzienniku Polskim" była informacja o wiecu na wolnym powietrzu w sprawie niespodziewanej wymiany waluty. Ten rodzaj wiadomości należał do działu miejskiego. Walutę wymieniono nagle, więc przypuszczam, że uczyniono to w poniedziałek, gdyż niedziela była dniem, w którym „Dziennik Polski" nie mógł się ukazać. Operacja była wymierzona w „spekulantów, pasożytów i złodziei grosza publicznego". Bynajmniej nie w „lud pracujący". Na wiecu widoczne były transparenty, na których wypisano słuszne hasła. Przedstawiciel PZPR na czele partyjnego aktywu, przedstawiciel związków zawodowych i przedstawiciel załogi po kolei zabierali głos, chwaląc politykę partii i rządu oraz potępiając „wrogów ludu". Wznoszono też okrzyki przeciwko „amerykańskiemu imperializmowi".

Kiedy to pisałem, przez cały czas odczuwałem szczególną nudę. Niby pisałem w słusznej sprawie, ale nuda pozostawała. Nuda rosła aż do momentu, kiedy opuściłem „Dziennik Polski". Już wychowany po części w Polsce Ludowej, nie miałem pojęcia, że do gazety można było pisać inaczej. To znaczy pisać — tak, ale czy drukować?

Sześć razy w tygodniu należało przyjść do redakcji o godzinie ósmej zero zero i podpisać się w sekretariacie. Za podpis złożony po tej godzinie groziła surowa kara, ustalana kolektywnie na ogólnym zebraniu. Tuż przed ósmą w sekretariacie czuwała niejaka M.G., młoda i rozlazła osoba, która jawi mi się w kolorze jadowicie zielonym. Być może sukienka, którą najczęściej nosiła, była w takim kolorze. Nie było przed nią ucieczki. Miała posłużyć za świadka, jeśliby doszło do niepunktualności. Ta sama M.G. później wyłamała drzwi do toalety i zaniosła je na plecach prosto do redaktora naczelnego, ponieważ na drzwiach od środka ktoś napisał słowa dla niej obelżywe. Chciała udowodnić, że knuje się wokół niej spisek. Nawiasem mówiąc, redaktorem naczelnym nie był już Stanisław Witold Balicki. Wkrótce po moim przyjęciu do pracy usunięto go i zastąpiono kim innym.

Życie działu miejskiego toczyło się w dużej sali na pierwszym piętrze. Przez wielkie okna widać było plac Wielopole, tramwaje, Pocztę Główną i ulicę Sienną w oddali. Każdy miał swój kącik, a znaczniejsi — swoje biurka. Królewskie miejsce zajmowała pani X (jej nazwisko zatarło mi się w pamięci), stateczna maszynistka z jej przedwojenną maszyną do pisania. Miała tam swoje stanowisko, a w wolnych chwilach, kiedy nikt jej nie dyktował, robiła na drutach.

Myliłby się ten, kto by sądził, że mój reportaż zrobił na kimkolwiek wielkie wrażenie. Ja również przestałem się łudzić. Redaktor Szydłowski traktował mnie jak chłopca na posyłki. Słusznie to przyjmowałem, nie zgłaszając pretensji. Zacząłem od redagowania programu kin. Do moich obowiązków należało dbanie, żeby każdy numer „Dziennika Polskiego" na ostatniej stronie podawał tytuły filmów, produkcję według kraju i godziny wyświetlania. Wnet, z powodów politycznych, ograniczono prezentację filmów wyłącznie do tych, które zostały wyprodukowane w krajach demokracji ludowej i ZSRR. Często myliłem detale dotyczące filmów: produkcję, a nawet godziny projekcji. Wtedy Zarząd Kin, protestując, wystosowywał listy do „Dziennika Polskiego", a redaktor Szydłowski dawał upust szewskiej pasji w stosunku do mnie.

O godzinie 13 była przerwa na obiad. Wtedy następował relaks — tego słowa wówczas nie znano — i wszyscy udawaliśmy się na ostatnie, najwyższe piętro z dobudówką i rozległym tarasem. Polska zaczynała być krajem powszechnej nudy i nikt, poza młodymi ludźmi, którzy chcieli zrobić partyjną karierę, nie robił nic dla samej pracy. Ja również. Przerwa na posiłek bardzo mi odpowiadała, miałem bowiem jeszcze w pamięci przebyty rok głodowy. Raz, kiedy rozkoszowałem się obiadem, doznając błogiego uczucia sytości, ludzie powstali od stołów i wybiegli na taras. Okazało się, że pewien młody człowiek z niewiadomych powodów wyszedł na ten taras nieco wcześniej i zniknął. W chwilę potem odnaleziono go martwego. Leżał na asfalcie od strony dawnej ulicy Bohaterów Stalingradu. Jak wiadomo, nasz budynek był wówczas jednym z najwyższych w Krakowie. Wkrótce wstępu na taras zabroniono. Nie miałem szans przeczytać o tym wydarzeniu w „Dzienniku Polskim" ani w jakiejkolwiek innej gazecie. Już od dawna kronika miejska zaprzestała podawania takich informacji pod pretekstem, że zakłócają porządek publiczny.

Co pewien czas przypadał mi nocny dyżur w drukarni. Ani moja młodość, ani brak doświadczenia nie zwalniały mnie od tego. Miałem czytać cały numer „Dziennika Polskiego” litera po literze, od deski do deski, i podpisywać się na dowód, że go przeczytałem. A z tym nie było żartów. Krążyły głuche wieści o takich, którzy to podpisali, a potem znikali bez śladu. Długo trwało, zanim pojawili się znowu, a niektórzy nie pojawili się już nigdy. Wszyscy wiedzieli, że na placu Wolności był Urząd Bezpieczeństwa Publicznego, ale nikt tego nie mówił głośno. Gazety także podlegały potajemnej obserwacji i każda litera była sprawdzana. Jeżeli coś było nie w porządku, to wtedy dyżurny ponosił konsekwencje. Dziennikarze opowiadali po cichu i między sobą, jak to w przemówieniu samego Stalina w słowie „usiana” pojawił się wredny błąd i jak nazajutrz odpowiedzialny redaktor przepadł bez wieści. Bo sprawca takiej pomyłki posądzany był co najmniej o sabotaż albo o jeszcze gorsze rzeczy.

Dnie zaczęły płynąć jednostajnie, bez większych emocji, o ile strach przed nocnymi dyżurami można wykluczyć z silnych przeżyć. Dziennikarstwo okazało się taką samą rutyną urzędniczą jak teraz wszystko dookoła. Z nudów zacząłem czytać. Potajemnie, oczywiście, to znaczy w toalecie. Ta toaleta okazała się nie tylko miejscem tajnego narzekania na władzę, jak w wypadku M.G., lecz także nielegalną czytelnią. Spędzałem tam długie kwadranse, na wszelki wypadek spuszczając wodę od czasu do czasu. Pamiętam, że przeczytałem tam wszystkie tragedie greckie, pożyczone od Herdegena.

Z chwilą objęcia posady w „Dzienniku Polskim” przeniosłem się znowu na Prażmowskiego, tymczasem przemianowaną na Marchlewskiego. Teraz zaprowadzono w Polsce porządek i nie wypadało mieszkać nie wiadomo gdzie, a poza tym nie było to możliwe. W każdej chwili władza mogła już dysponować właściwym miejscem zamieszkania obywatela. Władza dysponowała więc mną, a ja pozwalałem sobą dysponować z coraz większą chęcią, w miarę jak utrwalały się we mnie słuszne poglądy. Byłem obserwowany przez władzę i niedługo po Nowym Roku zostałem wezwany przez redaktora naczelnego. Zawiadomiono mnie, że otrzymam awans na reportera w całym województwie krakowskim, a nawet rzeszowskim. Moja nowa funkcja polegała na wyjeżdżaniu na parę dni do rozmaitych miejscowości, aby „rozpracować teren". „Teren" — to było nowe hasło, używane w tym czasie przez wszystkie gazety.

Prawdę mówiąc, bałem się tego awansu. Była mroźna zima i należało wstawać grubo przed świtem. Spotykaliśmy się przy samochodzie: szofer, Jan Kalkowski, fotograf i ja. Samochód był stary, poniemiecki, wieloosobowy; pierwotnie używany jako radiowa stacja nadawcza. Z półsnu budziliśmy się na dobre dopiero o świcie, kiedy samochód pokonywał śnieżną drogę w nieznanych okolicach. Ta niechęć do zbyt wczesnego wstawania była głównym powodem mojej odrazy.

Im dłuższa była droga, tym więcej było czasu do fantazjowania na jawie, do miłego, acz zbędnego upiększania rzeczywistości. Ale już pierwsze znaki drogowe przywoływały mnie do porządku i za chwilę samochód zatrzymywał się w miasteczku, najczęściej na rynku. Szliśmy prosto do komitetu partii i żądaliśmy widzenia się z pierwszym sekretarzem albo z jego zastępcą. Wtedy w komitecie zaczynał się popłoch, ponieważ nie wiedziano, w czym rzecz, i można się było spodziewać najgorszego. Pierwszy sekretarz odnajdywał się natychmiast, a my przedstawialiśmy legitymacje prasowe. W tej drugiej fazie widoczna była ulga, ponieważ teraz już wiedziano, czego można się spodziewać, i nie było to najgorsze. Sekretarz wygłaszał parę frazesów, najczęściej o roli prasy w kształtowaniu nowego ustroju, i przekazywał nas odpowiedniemu kierownikowi, aby się nami zajął. Ten zapraszał nas do siebie, sadzał wokół biurka, proponował herbatę albo „coś mocniejszego" i wygłaszał na zadany temat kwieciste sprawozdanie, pełne liczb i danych. Sprawozdanie było od początku do końca nieprawdziwe, my jednak je notowaliśmy, a to, co zanotowaliśmy, było identyczne z tym, co zawierał oryginał przedstawiony przez kierownika. Przeważnie jednak notowałem ja, ponieważ Jaś Kalkowski — doświadczony fachowiec — nie notował, a przytakiwał tylko, spoglądając na zegarek w oczekiwaniu na obiad. Zapewne wiedział, że powtórzy to wszystko z pamięci, pisząc później do gazety.

Do jakiego stopnia my, dziennikarze, a wraz z nami nasza publiczność, żyliśmy w błogiej nieświadomości tego, co się działo, świadczy choćby fakt następujący. W pierwszych miesiącach zimy 1952 roku, po wojnie domowej między ludnością polską a ukraińską, tysiące ludzi zginęło, a wiele miejscowości zostało spalonych. Ukraińcy, którzy nie zostali wywiezieni do Rosji, tak zwani Łemkowie, zostali wywiezieni na Ziemie Zachodnie. W każdym normalnym kraju powiaty ogarnięte pożogą nosiłyby przez długie lata dostrzegalne dla każdego dziennikarza ślady. A jednak nie zauważyliśmy ich. Ja miałem tylko dwadzieścia dwa lata, a Jaś Kalkowski niewiele więcej. Dopiero później, kiedy komunizm chylił się ku upadkowi, dowiedzieliśmy się prawdy.

Wyjeżdżaliśmy z Krakowa w Małopolskę niemal co tydzień. Zawsze jednak zaczynaliśmy od komitetu partii jako najwyższej rangą jednostki administracyjnej w miasteczku.

Wszystkie jednostki administracyjne miały ten sam schemat. Zawsze był sekretarz, kierownicy i urzędnicy. Zawsze też zostawaliśmy w budynku administracji, tylko z rzadka wychodząc na powietrze i rzucając okiem na „produkcję". Wiedzieliśmy, że i tak skończy się na zakłamanych sprawozdaniach. Tak doczekiwaliśmy do wieczora, a potem mieliśmy czas wolny. Spędzaliśmy go w gospodzie. Restrykcje, które zaczęły się już w socjalizmie i które miały trwać przez następne czterdzieści lat, w 1952 roku nie dotknęły jeszcze prowincji. Można było dobrze zjeść i wypić w gospodach, zwłaszcza „nieludowych". Takie gospody zdarzały się w powiatach, zanim wreszcie zniknęły. Potem, po nocy przespanej u wójta albo nawet w hotelu, ruszaliśmy w dalszą drogę.

Po rundzie trwającej od trzech dni do tygodnia wracaliśmy do Krakowa. Z czasem, w drodze wyjątku, zostawałem w domu. Nie musiałem znosić dyscypliny pracy i po paru dniach pojawiałem się w redakcji, przynosząc gotowe rękopisy. Sztywną formę moich tekstów starałem się ożywić, opisując drugorzędne postacie i epizody, które wydawały mi się zabawne. Jednak ciężko mi to szło, gdyż panował styl dęty i napuszony jak cała ówczesna Polska. Co gorsza, ja sam nie do końca to sobie uświadamiałem.

Ale nie siedziałem ciągle w redakcji. To okazało się dla mnie najważniejsze. Pierwszy raz objechałem całą Małopolskę i byłem świadkiem zdarzeń wesołych i smutnych, żywych ludzi i barwnych opowieści. Wkrótce miało mi się to przydać.

Poznałem bliżej Janka Kalkowskiego. Z przypadkowego uczestnika powstania warszawskiego stał się, po licznych perypetiach, redaktorem „Dziennika Polskiego". Przypadkowy — to słowo najbardziej go charakteryzuje. Janek utrzymywał względem wszystkiego lekko kpiący dystans, zależnie od okoliczności, a czasem wbrew okolicznościom. Pracowałem z nim w redakcji „Dziennika Polskiego" trzy lata i wspólnie odbyliśmy podróż na Słowację. W tym czasie wprowadzono rozporządzenie „O małym ruchu turystycznym" w rejonie Koszyc i Smokowca. Uzyskaliśmy od redaktora naczelnego zgodę, aby tam pojechać i sprawdzić, jak to działa. Pozwolenie od władz paszportowych mieliśmy na trzy dni, a zostaliśmy na Słowacji przez tydzień. Wszystko za moją namową. Janek wyraził swoją zgodę, ale potem mnie zaskoczył. Zniknęła w nim wszelka lekkomyślność. Pozostał tylko goły, zwierzęcy strach. Bał się ludzi w cywilu i nade wszystko ludzi w mundurach. Bał się wszystkiego i okazało się, że miał rację. O pierwszej w nocy zatrzymał nas w lesie polski patrol straży granicznej, gdy szliśmy pieszo ze Słowacji do Zakopanego. Doprowadzono nas do strażnicy, rozdzielono i przez resztę nocy każdego z osobna przesłuchiwano. O świcie nas puszczono, ale z groźbą, że „pójdą za nami papiery" i że wynikną z tego poważne konsekwencje. Tak się nie stało i z czasem sprawa ucichła. Możliwe, że Jaś miał podobne przeżycia w przeszłości. Możliwe nawet, że z konsekwencjami, i od tego czasu bał się jak ognia milicji czy wojska. Tymczasem ja, nieświadomy takich spraw, byłem niewinny jak dziecię.

Sytuacja w domu, odkąd pracowałem, była dla mnie niezręczna. Nie znosiłem wspólnego mieszkania i zawsze chciałem mieszkać sam. Tym bardziej że właśnie nadarzyła się okazja. W Domu Literatów zwolnił się w oficynie jeden malutki pokój, który mogłem zająć. Do tego jednak potrzebna była przynależność do Związku Literatów Polskich. Tu niezawodny Adam Włodek przystąpił do akcji. Wytłumaczył w Związku Literatów, że piszę książkę, ale na razie nie mam gdzie mieszkać, co było półprawdą. Twierdził, że gdy dostanę mieszkanie, dokończę książkę w pół roku i owa formalność zostanie niechybnie dopełniona.

Adam bowiem wierzył we mnie od pierwszej chwili. Wierzył, że zostanę pisarzem. Dla ścisłości — żywił tę nadzieję wobec większości młodych ludzi, zarówno za mojej z nim przyjaźni, jak i po moim wyjeździe z Polski. Był urodzonym pedagogiem i rzadko się mylił. Mógłbym wymienić pisarzy do dzisiaj sławnych, którzy byli jego wychowankami.

Przeprowadzka nastąpiła w czerwcu 1952 roku. Pogoda była piękna, a cały mój dobytek mieścił się na łóżku, które nieśliśmy z Herdegenem od ulicy Prażmowskiego aż do mojego nowego miejsca zamieszkania. Najpierw szliśmy długą aleją, potem minęliśmy kościół, dalej wędrowaliśmy ulicą Lubicz, pod mostem kolejowym, a potem wzdłuż Plant — aż na ulicę Krupniczą. Przystawaliśmy po drodze wiele razy, nie śpiesząc się, siadając na łóżku i dyskutując. Byliśmy młodzi i obiecujący. Na razie niedostępne nam były troski wieku dojrzałego, a niezmierzona przyszłość rozciągała się przed nami.

Mój pokój znajdował się na czwartym, ostatnim piętrze przy ulicy Krupniczej 22, w oficynie. Całe mieszkanie składało się z jednego pokoju. W dodatku ten pokój był mały. Miał pięć metrów na trzy i żadną miarą nie można było wstawić w nim więcej rzeczy, niż było to konieczne. Łóżko znajdowało się po lewej stronie, a po prawej — szafa. Za łóżkiem stał fotel, jedno krzesło, stół i kaflowy piec. Za węgłem po lewej stronie była mikroskopijna umywalka, a nad nią lustro.

Okno wychodziło na zachód. Daleko za miastem widać było kopiec Kościuszki. Tyły kamienic biegły wzdłuż ulicy Garbarskiej, a rozległe ogrody ciągnęły się aż pod moje okno. W oknie widziałem czubki topoli, liściaste w lecie, bezlistne jesienią i zimą, a wyżej niebo. Kiedy po siedmiu latach opuszczałem to mieszkanie, topole wznosiły się już powyżej dachu.

Gdy się wprowadziłem, moim sąsiadem był Edzio Rączkowski, a po kilku latach — Tadeusz Nowak. Przedpokój był wspólny, a w nim stały użyteczne zimą skrzynki na węgiel. Mieszkanie Edzia było jednak większe niż mój pokój. Wejście było wspólne.

Istnieje legenda dotycząca Domu Literatów. Zaraz po wyzwoleniu, kiedy jeszcze panował rozgardiasz i wiele poniemieckich budynków było do dyspozycji, na Krupniczą wtargnęła delegacja Związku Literatów Polskich. Budynek był wtedy hotelem przerobionym dla niemieckich urzędników naftowych. To tłumaczy zarówno rozkład pokoi, jak i Bierstube, bawarską restaurację na parterze, a także zapas win i wódek pozostawiony przez Niemców. Delegacja literatów, mimo że wybór przyszłego Domu Literatów był wtedy nieograniczony, pozostała na Krupniczej 22, dopóki nie skonsumowała zapasów. I w efekcie nie pozostało jej nic innego, jak pozostać tu na stałe.

W ten sposób zawarłem ze Związkiem Literatów, a także z bezpośrednimi sąsiadami bliższą znajomość. Na pierwszym piętrze, od frontu, było dwupokojowe biuro. W pierwszym pokoju siedziała sekretarka, a w drugim siedział prezes zarządu, którym wówczas był Stefan Otwinowski. W kamienicy mieszkały różne postacie, niektóre obecne przez cały czas mojego tam pobytu, a wszystkie barwne. A więc również od frontu: Hanna Mortkowicz-Olczakowa z matką i dorastającą córką, Tadeusz Kwiatkowski z żoną aktorką i córką. W pierwszej oficynie: Stefan Otwinowski i Ewa Otwinowska, Marian Promiński z żoną i synem. Legendarny i, niestety, piszący były partyzant Skoneczny z żoną i Ożóg poeta. W drugiej oficynie: Polewka z żoną i synem, Kisielewski z żoną i synami, Barnaś i Jerzy Bober z żonami, Maciej Słomczyński i Lidia Zamkow oraz Adam Włodek i Wisława Szymborska.

Prawa połowa pierwszej oficyny przeznaczona była w zasadzie dla nieżonatych: Edzio Rączkowski, Tadzio Nowak, Sławomir Mrożek, Jerzy Hordyński i Jan Zych.

Plebs nieliteracki mieszkał w bezimiennej oficynie naprzeciw mojego okna. Szło się po metalowych schodach w formie ślimaka, doczepionych do pokoików jeszcze mniejszych od mojego. Co sobota odbywały się w nich libacje. Przez długie lata przewodniczyła im pani Lola — brzydka jak noc karlica posiadająca wiele wdzięku. Żyła z konwencjonalnym złodziejem, o wiele młodszym od niej, podejrzanie przystojnym i pełnym wątpliwych manier. Pani Lola była służącą do wszystkiego, nad podziw pracowitą, pełną życia i fantazji. Z czasem, już po jej śmierci, stała się tematem niesłychanie śmiesznych monologów profesora polonistyki Bronisława Maja pod tytułem *Jak współżyłam z literaturą i sztuką*.

W latach dziewięćdziesiątych pojawiły się w prasie krakowskiej artykuły domagające się zakupienia Domu Literatów przez magistrat, a następnie ożywienia, zadbania czy też ochrony tego obiektu jako „doniosłej spuścizny kulturalnej Krakowa". Jeden z pomysłów postulował utworzenie „Muzeum Literatury Pisarzy Krakowskich" w odnowionych i wyfroterowanych salonach z nieuchronną dyrekcją, umundurowanym personelem i godzinami wstępu z wyjątkiem poniedziałków. Już sama myśl o „wycieczkach szkolnych z Przemyśla" zwiedzających moje poddasze wydała mi się tak śmieszna, jak śmieszne są monologi Bronisława Maja. Na szczęście, propozycje tego rodzaju przycichły.

Moje związki z Adamem Włodkiem jeszcze bardziej się zacieśniły, od kiedy byłem jego sąsiadem. Nie ukrywał, że jednym z jego celów było moje wstąpienie do partii. Wspominał o tym coraz częściej, a ja, żeby go nie urazić, przytakiwałem: „Może by i wstąpić?". Ale ta myśl przerażała mnie. Partia, bolszewicki wynalazek wcale przez wynalazców nieukrywany, nie była w moim guście. Nie była w ogóle w guście Polaków, wtedy, w 1952 roku. Co innego mieć postępowe poglądy, to się jeszcze mieściło w polskiej mentalności. Reforma rolna czy nawet przyjaźń polsko-radziecka to od biedy uchodziło, ale nie partia.

A jednak wszystko w moim życiu tak się wtedy układało, żeby mnie upartyjnić. Przede wszystkim charakter mojej pracy w „Dzienniku Polskim". Awansowałem szybko. Moja działalność przestała być tylko reporterska i stawała się coraz bardziej publicystyczna. Coraz częściej byłem uwalniany od „dyscypliny pracy" i zostawałem w domu, pisząc ważne artykuły o bardzo ważnych sprawach. Ta praca, odbierana przez w miarę szeroką publiczność, zaczęła przynosić rezultaty dla mnie niespodziewane. „Jeżeli ten osobnik pisze szczerze, to dlaczego nie wstępuje do partii?". I jako tezę przytaczano: „On tak pisze na wszelki wypadek, ale do partii nie wstępuje, bo gdyby coś się odwinęło...". Trzeba pamiętać, że w 1952 roku wojna między Związkiem Radzieckim a resztą świata była tuż-tuż. Przynajmniej w Krakowie. I rzeczywiście, tu był pies pogrzebany.

Jak już wspomniałem, po moim tryumfalnym, jak mi się wydawało, reportażu o Nowej Hucie zapanowała wokół mnie pustka. Zniknęli prawie wszyscy. Wszyscy, na których mi zależało. Przyjaciele z dzieciństwa i ci z okresu dorastania. Zniknął Tadeusz Brzozowski i inni pomniejsi znajomi. To mnie zdumiewało w mojej naiwności. Byłem na „tych wszystkich" głęboko obrażony.

„Jak to? — pytałem siebie. — Ja tu mam recepturę na zbawienie ludzkości i taka jest wasza odpłata? Ja tu codziennie wykazuję w «Dzienniku Polskim», że nie ma innej drogi, jak tylko marksizm-leninizm-stalinizm, że to jest naszym wyjściem, a wy mnie tak traktujecie? Dobrze, wobec tego zapiszę się do partii wam na złość. To będzie moja zemsta na was. Odtąd będziecie wiedzieli, że ja nie żartuję".

Jak z tego wynika, byłem bardzo, aż wstyd powiedzieć, jak bardzo, dziecinny. Obraziłem się na polską społeczność, ponieważ nie chciała mi przyznać racji. Gdybym jeszcze namawiał tę polską społeczność do czegoś odkrywczego, nowego, interesującego, wtedy byłbym dla niej mniej irytujący. Tylko dlatego, że do Polski przyszła Armia Czerwona, ja, dwudziestoletni i niedouczony, namawiałem społeczność do czegoś, co było już znane na świecie od stu lat. A namawiałem ją namiętnie, ponieważ odkryłem, że posiadłem sekret ludzkości, i czym prędzej chciałem się tym sekretem podzielić ze społeczeństwem. Ale do partii jakoś ciągle jeszcze nie wstępowałem.

Na jesieni w 1952 roku znowu zagroziło mi wojsko, a z wojskiem nie było żartów. Nawet najbardziej znani młodzi redaktorzy „Dziennika Polskiego" truchleli przed wojskiem.

Było już prawie za późno. Gorączkowo zacząłem się rozglądać za uczelnią, gdzie liczba kandydatów na pierwszy rok nie przekraczała wielokrotnie dostępnej liczby miejsc. Wreszcie znalazłem: studia afrykanistyczne oraz języków orientalnych i Dalekiego Wschodu.

Zdałem egzamin po raz trzeci. Ale nie miałem już złudzeń, że będę chodził po raz trzeci na przysposobienie wojskowe, które znałem aż tak dobrze. Raz w tygodniu, w sobotę, przebrani w wojskowe mundury mieliśmy się zbierać na Błoniach, gdzie czekały nas podstawowe ćwiczenia strzeleckie plus ćwiczenia z ochrony kraju i legendarne już wśród młodzieży akademickiej, z powodów oficerskiej tępoty, ćwiczenia antynuklearne. Potem, raz w roku na wakacje, wyjazd gdzieś w Polskę na podstawie karteluszka przysłanego pocztą: Taki a taki zgłosi się na stacji takiej a takiej z suchym prowiantem na dwa dni. Celem był dwumiesięczny wyjazd na anonimowy poligon. Tam dopiero mieliśmy poznać prawdziwe wojsko. I tak przez pięć lat. Nie, dostać się na studia, otrzymać odpowiednią adnotację od wojska, a potem czym prędzej zniknąć. Będziemy się martwić później.

Pierwszy wykład odbył się na Uniwersytecie Jagiellońskim. Tych, którzy zdali egzamin, było niewielu, kilkanaście osób. Był tam między innymi późniejszy profesor Wojciech Skalmowski. Spotkałem go o wiele później na przyjęciu w Stanach Zjednoczonych. Został na emigracji i przebywa obecnie w Brukseli. Pamiętam, że wykład o języku suahili wygłosił drobny staruszek, podobno wielka sława. Owszem, sympatyczny był to wydział, ale nie dla moich przyziemnych celów. Nabyłem potrzebne mi dokumenty, pokazałem się w wojsku, a potem zniknąłem z uniwersytetu.

W sprawach mieszkaniowych dotrzymałem słowa. Ukończyłem moją pierwszą książkę pod tytułem *Półpancerze praktyczne* i miała się ona ukazać w ciągu roku w Wydawnictwie Literackim w Krakowie. Nie było już przeszkód w przyjęciu mnie do Związku Literatów Polskich, a nawet gdyby były, to Adam Włodek by im to wytłumaczył. Wszystko więc byłoby po mojej myśli, gdybym nie otrzymał dotkliwego ciosu z innej strony.

To, co teraz powiem, wygląda na zaprzeczenie umowy, którą zawarłem z czytelnikiem na pierwszych stronach tej książki. Zastrzegłem sobie, że nie będą w niej poruszane żadne sprawy dotyczące mojej strony intymnej. Ale sprawa, którą wypada mi poruszyć, nie dotyczy żadnej innej osoby, a tylko wyłącznie mnie i jest paradoksalnie związana z Polską Zjednoczoną Partią Robotniczą.

„Zdradziła" mnie dziewczyna, z którą żyłem od pewnego czasu. Dzisiaj wydaje mi się to śmieszne i dlatego zasługuje na cudzysłów. Moja ówczesna niedojrzałość sprawiła, że na tę zdradę zasługiwałem. Zachowywałem się wtedy jak typowa męska świnia. Dość powiedzieć, że wieczór sylwestrowy, wbrew oczekiwaniom mojej towarzyszki, spędziłem w towarzystwie innej osoby. Słusznie więc zostałem ukarany.

Cierpiałem strasznie, ale w milczeniu. Kiedyś w życiu młodego mężczyzny musi przyjść taka chwila, kiedy cierpi on strasznie. Moja ambicja poszła więc w inną stronę i paradoksalnie, jak już powiedziałem, miała związek z... partią.

W owych czasach, a może tylko w mojej świadomości, przynależność do partii miała charakter podniosły i romantyczny. Nie aż tak romantyczny jak przyjęcie do tajnych stowarzyszeń, ale porównywalny. Przyczyną była próba „uromantycznienia" Polskiej Partii Robotniczej, poprzedniczki Polskiej Zjednoczonej Partii Robotniczej, oraz ponura prawda o perypetiach polskich komunistów przed wojną. Okazało się, że Stalin, po rozwiązaniu partii komunistycznej w Polsce, podstępnie tępił komunistów w Związku Radzieckim, aresztując i wysyłając ich do Niemiec wprost „w ramiona" gestapo. Ale wtedy jeszcze o tej sprawie nie wiedziałem.

Co do Polskiej Partii Robotniczej po wojnie, to jej członkowie lubowali się w roli ofiar ginących od kul reakcji. Mistrzem w tym sporcie był Jerzy Andrzejewski, którego książkę wtedy przeczytałem z zachwytem. Zdając sobie sprawę z wrogości społeczeństwa do komunistów, obawiałem się, że ciemny lud przeważy nad światłymi komunistami, i chcąc im pomóc, postanowiłem wzmocnić ich szeregi. Zdradzony przez kobietę, postanowiłem poświęcić się dla partii i zginąć, najchętniej z rąk reakcji. Niezwłocznie więc powiadomiłem Włodka, że już się zdecydowałem.

Spowodowało to tragikomiczne następstwa. Leszek Herdegen, który zawsze mnie naśladował, również zgłosił się na kandydata do partii. Podobnie jak L.F., wtedy wybitny intelektualista. Tak więc we trzech wstąpiliśmy do obozu postępu.

Przewodniczącym Podstawowej Organizacji Partyjnej przy Związku Literatów Polskich był Machejek, postać znana po wojnie. Z pochodzenia chłop z okolicy Michałowic, za okupacji należał do organizacji skrajnie lewicowej i walczył z Niemcami, a po wojnie — z partyzantką antykomunistyczną. Od początku pełnił ważne funkcje w partii i „aparacie". Mówiono też, że był agentem NKWD. I rzeczywiście. Zmarł już po zwycięstwie Solidarności i do końca był nietykalny. Z zamiłowania literat, był autorem niezliczonych powieści, a także redaktorem naczelnym tygodnika „Życie Literackie" wydawanego w Krakowie. Jąkał się i był nałogowym pijakiem.

Posiadał, sam o tym nie wiedząc, poczucie humoru i stał się dla polonistów i szerokich rzesz, do których należał autor tejże książki, niewyczerpaną skarbnicą dziwolągów języka polskiego.

Zebrania Podstawowej Organizacji odbywały się tam gdzie zwykle, to znaczy wieczorem w gabinecie prezesa, ale podczas nieobecności sekretarki. Utarło się, że ja, Leszek Herdegen i L.F. siadaliśmy w najdalszym kącie pomieszczenia, pod piecem, z dala od przewodniczącego, zarówno w lecie, jak i w zimie. Pozwalało nam to na wymieniane półgłosem dowcipy. Zupełnie jak w szkole.

Porównanie ze szkołą na tym się nie kończyło. Zebranie wymagało pewnych form i zawsze zamykane było odśpiewaniem *Międzynarodówki* na stojąco. Wtedy nie wiedziałem, czy śpiewam *Gaudeamus igitur*, hymn mojej szkoły czy coś innego. Krótko mówiąc, czułem się głupio. Na wszelki wypadek śpiewałem cicho, ale jednak tak, żeby słyszeli to inni. Uczucie, że „coś jest nie tak", towarzyszyło mi nieustannie podczas zebrania i czasami po nim, aż do następnego razu.

Rychło atmosfera tajemniczości, która łączyła mi się z partią przed wstąpieniem do niej, rozwiała się zupełnie i została zastąpiona przez nudną biurokrację. Zaczynała się od kontroli obecności, a potem dotyczyła spraw administracyjnych. Trochę uciechy wśród towarzystwa „od pieca" budził referat „o sytuacji międzynarodowej", zwłaszcza wygłaszany przez członka niezbyt inteligentnego. Tajemnic partyjnych, których przedtem byłem ciekaw, nie było żadnych. Jeżeli były, to nie na tym szczeblu. Czasami odbywała się wielka mobilizacja. Na przykład, kiedy prasa doniosła za wskazaniem partii, że ubój świń jest zagrożony wskutek upadku pogłowia. Wtedy my, czołowy oddział literatów, zobowiązaliśmy się napisać po jednym opowiadaniu propagującym pogłowie świń. Sam napisałem takie opowiadanie, które jednak do późniejszych *Dzieł zebranych* nie weszło.

Rozwiała się również atmosfera wyimaginowanego przeze mnie zagrożenia. Znajomi z dawnych lat unikali mnie po staremu, ale „kul reakcji" również nie było widać. Dziewczyna, o którą chodziło, spotykała się ze mną jak gdyby nigdy nic, co świadczyło dobrze o milczeniu, jakie zachowałem w tej sprawie, jak i o tym, że mój stosunek do kobiet pozostał bez zmian. Pozostała jedynie partia, z którą nie wiedziałem, co zrobić. Ale w dalszym ciągu przyświecała mi wizja ludzkości, choć już bez tego samego przekonania.

Po zebraniu następowała ulga i potrzeba zmiany nastroju, co tłumaczyło się wśród starszych członków pragnieniem napojów alkoholowych. Pani Muszka i pani Zofia czuwały jak zwykle, a mocą specjalnego rozporządzenia dla Związku Literatów podawanie napojów wyskokowych było dozwolone. Istnieje anegdota dotycząca Polewki i Kisiela, czyli Kisielewskiego. Od końca wojny mieszkali w Domu Literatów. Polewka był komunistą, a Kisiel — wprost przeciwnie. Obaj lubili się napić, tocząc przy tym nieustające dyskusje ideologiczne. Pewnego razu, w stołówce, Kisiel wyraził się, że Stalin był „ch...". Majestat obrażony tak wysoko domagał się kary. Ale w Krakowie, jak to w Krakowie — kara była, ale nie zanadto surowa. Kisiel został skazany przez Podstawową Organizację Partyjną, mimo że do partii, broń Boże, nie należał, na trzy miesiące zakazu przebywania w stołówce. Czas mijał, Polewka chodził regularnie na zebrania Podstawowej Organizacji Partyjnej, ale był coraz bardziej markotny. Nie wytrzymał braku obecności Kisiela i kiedy spotkali się na podwórzu, zagadnął go, żeby ten wstąpił do stołówki na jednego. „Ja przecież nie mogę" — odpowiedział Kisiel. „E, ze mną możecie" — odparł Polewka i już razem weszli do stołówki.

W tym okresie miało miejsce ważne wydarzenie: moje pojednanie się z ojcem. Odkąd odszedłem z domu, moja zajadłość wobec niego ustąpiła miejsca litości i odrobinie satysfakcji, że jednak radzę sobie w życiu. Litość była na miejscu, znalazłem go bowiem w złym stanie. Ciągle mieszkał z moją siostrą, ponieważ musiał z nią mieszkać. Pierwszym warunkiem do naprawienia ich stosunków było rozdzielenie ich. Udało mi się to po długich staraniach. Odtąd ojciec i siostra zamieszkali osobno.

Przez resztę jego życia byłem dla ojca przykładnym synem. Uważałem, że nie ma już sensu mścić się na nim, zresztą nie miałem na to żadnej ochoty. Do końca życia pisałem długie listy, również w okresie mojej emigracji. Zapraszałem go za granicę, posyłałem mu paczki, dyskretnie dbając o jego zdrowie. W miarę jak rosła moja pozycja za granicą, ojciec miał coraz więcej okazji, aby żądać ode mnie tego i owego. Jednak tego nie robił. Ojciec nie żądał niczego, a to, co mu ofiarowałem, przyjmował z wdzięcznością.

Dwie wiosny zaznaczyły się w moim życiu: wiosna 1945 roku, kiedy zakończyła się wojna, oraz wiosna 1953, kiedy zmarł Stalin.

Zakończenie wojny nie było tajemnicą. Klęska Trzeciej Rzeszy zaczęła się nieznacznie, potem stała się oczywista i skończyła się tryumfalnym zwycięstwem sprzymierzonych. Śmierć Stalina — na odwrót. Potęga Związku Radzieckiego trwała nadal niewzruszenie, aż nagle, w ciągu paru tygodni, Stalin umarł i zaskoczył nas wszystkich. Obie wiosny połączyły wszystkich nadzieją, że od tej chwili będzie lepiej, niż było.

Moje pożegnanie ze Stalinem, niewiarygodnie szybkie, przypisuję krótkotrwałości, w której ten epizod przewinął się przez moje życie. Ostatecznie nie trwał on dłużej niż dwa lata i wkomponował się w całość jako nieodłączny element totalitarnego systemu. Z chwilą, w której ten system legł w gruzach, a już wiadomo, jak szybko się to dzieje w systemach totalitarnych, dla wodza nie było miejsca. Po prostu momentalnie zniknął.

Przez parę tygodni byłem świadkiem budzenia się ludzi z narkotycznego uśpienia, potem zaś dostrzegłem ekstatyczną, lecz starannie ukrywaną radość. Pierwsze znaki, że coś nie jest w porządku, zauważyłem, gdy — jeszcze nie wiedząc o niczym — dostałem polecenie, żeby wyjechać na Śląsk. Miałem tam napisać artykuł, jak zwykle. Kręcąc się po zakładzie, zaobserwowałem nieuchwytną, ale wyraźną zmianę w nastrojach ludzi i nie wiedziałem, czemu mam ją przypisać. Po powrocie do Krakowa już wiedziałem, co się wydarzyło.

Kiedy Stalin umarł, w Polsce zaczęła się orgia hipokryzji. Nie znałem nikogo, kto by żałował, że Stalina nie ma już wśród żyjących. Ostatnie lata jego rządów dopiekły wszystkim. Nawet najzagorzalsi zwolennicy mieli do niego rozmaite zastrzeżenia, wyznane dopiero po jego śmierci. Ale

Z góry do dołu:
siostra mojej matki, Janka,
moja matka,
Zygmunt Król,
Leszek Król
i ja z misiem

Ja, ciotka Niusia,
jej córka Bożena,
moja matka,
wujek Juliusz
(brat mojej matki).
Zdjęcie tuż przed wojną

Ja – trzeci od prawej, obok mojej matki (w berecie)
i ciotki Janki

Dwie osoby po prawej i dwoje dzieci po prawej:
moja matka, mój ojciec, mój brat i ja

Ja – w drugim rzędzie od góry. Na uwagę zasługuje,
że drugi rząd od góry składa się tylko ze mnie
i z niejakiego Bandury po mojej lewej stronie.
Szkoła przy ulicy Żółtowskiego, czerwiec 1944, Kraków

Ja – w wieku 13 lat

Ja – w wieku lat 19.
Proszę zwrócić uwagę
na okulary, których
nie zmieniałem,
z braku środków,
od trzynastego roku życia

Ja wygłupiam się
z Leszkiem
Herdegenem.
Rok 1953

Ja – w wieku około
25 lat. Kraków

Ja – w wieku 27 lat

Moja pierwsza żona, Maria Obremba

Moja pierwsza żona w Jugosławii

Moja pierwsza żona

Tuż przed wyjazdem na stałe do Warszawy

wszystkich łączyło jedno — strach przed przyszłością. Dla swoich wrogów Stalin był okrutnikiem, ale przyszłość bez niego wydawała się niepewna. Dla swoich zwolenników Stalin był dobrotliwym ojcem, a przyszłość bez Stalina... Nie, tego nie umieli sobie nawet wyobrazić. Jedni i drudzy potrzebowali czasu, żeby zaakceptować ewentualnego następcę.

Ci, którzy nienawidzili Stalina, nie mogli się do tego przyznać, ponieważ każdy inny mógł być konfidentem. Stali się więc hipokrytami. Ci, którzy się przed nim korzyli, manifestowali swą rozpacz na wyścigi, jeden głośniej od drugiego. W rezultacie bali się go wszyscy, nawet po jego śmierci. Ale nikt go nie żałował.

Ta historia przedstawiała tragikomiczną farsę ze Związkiem Radzieckim w głównej roli. Za wszelką cenę starano się tę wieść powstrzymać i, oczywiście, bez skutku. Stąd te wszystkie zaprzeczenia, to „...że tak, ale że jednak...". Było w tym stopniowe przyznawanie się do winy, że Stalin musiał jednak umrzeć. Również farsą dla Polski było śledzenie tych wydarzeń ze zmartwioną miną, podczas gdy nastrój był coraz bardziej wesoły.

Od śmierci Stalina zaczął się w Polsce proces, który można by nazwać „od kapitalizmu do komunizmu i z powrotem". Kiedy wahałem się w Meksyku, czyby nie wrócić do Polski, uznałem, że komunizm w Polsce już się skończył. Wróciłem, ale dzisiaj nie jestem tego pewien. Trwająca w Polsce demokracja nie jest tym samym, czym jest zasiedziała od wieków demokracja, która jeszcze trwa w państwach zachodnich.

Jestem świadom tego, że dla mnie — byłego obywatela Polski Ludowej — określenie „od kapitalizmu do komunizmu i z powrotem" brzmi źle i niezręcznie ze względu na kapitalizm, mimo że komunizm uważam za największe zło. Jest to jeden z elementów nieświadomej psychiki, zakotwiczonej we mnie na zasadzie odruchu psa Pawłowa. Podobne odruchy dotyczą sporej części tych Polaków, którzy w roku 1945 mieli po piętnaście lat.

Można więc powiedzieć, że wszystko, co stało się potem, miało charakter coraz większego rozluźnienia obłaskawiającego komunizm. Wszystko, nawet zabawa i rozrywka. A właśnie po śmierci Stalina zaczęło się coś zmieniać w Krakowie. Najpierw w Domu Literatów. Nie pamiętam już, kto wpadł na ten pomysł, ale faktem jest, że w stołówce — zwanej później kawiarnią — odbywały się niezupełnie oficjalne wieczory satyryczne. Co sobota zbierało się tam wytworne towarzystwo, jedzono kolację, a później słuchano utworów satyrycznych w wykonaniu kolegów — także literatów. Następnie były — o zgrozo! — tańce.

Programy satyryczne były wykonywane przez starszych wiekiem literatów. Wydawali mi się wtedy zgrzybiali. W rzeczywistości byli w pełni sił. Tak się złożyło, że w ich gronie byłem jedynym młodym człowiekiem — przynajmniej do pewnego czasu. Gdy zaczęła się moja lokalowa kariera, miałem zaledwie dwadzieścia trzy lata. Miano „satyryk" przylgnęło do mnie, zanim zaczęto mnie uważać za literata. Zresztą ja nie miałem nic przeciwko temu. Zacząłem więc bywać na wieczorach satyrycznych. Stałem się tam popularny, zanim moja sława zatoczyła szersze kręgi, bo Kraków był wtedy małym miastem.

Trzy nocne lokale były ostoją tych, którzy spać kładą się rano: Warszawianka, Hotel Francuski i Feniks. Bywało, że jednej nocy odwiedzaliśmy w licznym gronie wszystkie trzy lokale po kolei. Jak sama nazwa wskazuje, życie towarzyskie wymaga towarzystwa. Krąg moich znajomych powiększał się błyskawicznie. Mowa tu nie tylko o tych, których każdej nocy spotykałem w lokalach, lecz także o znajomościach dalszych. Na przykład o profesorach uniwersyteckich, którym ze wzajemnością kłaniałem się na ulicy. Mowa jest także o tych, którzy znając się, są często na „ty", codziennie wymieniają plotki przez telefon i często się spotykają — znowu w nocy i znowu w tych samych nocnych lokalach. Takich osób było w Krakowie bardzo wiele.

Życie towarzyskie to także picie alkoholu. Z tym nie miałem problemu. Co prawda zacząłem pić alkohol późno, około dwudziestego roku życia, ale to nadrobiłem. Kiedy przeniosłem się z Krakowa do Warszawy, już koło południa zaczynały drżeć mi ręce, co wskazywało na to, że jeśli się nie napiję chociaż jednego, to będzie źle. Za granicą mi to przeszło.

Lokali nocnych, kabaretów i miejsc rozrywki stopniowo przybywało. Przede wszystkim powstał kabaret Piwnica pod Baranami, w którego pierwszym, bohaterskim okresie też miałem swój udział. Muszę jednak dodać, że mój udział był bardzo skromny, nieporównanie mniejszy niż udział wielu innych osób, których nazwiska pozostaną na stałe związane z Piwnicą. Również za moich czasów powstał kabaret w Jamie Michalika, ale tam nie trafiłem. A potem wyjechałem do Warszawy.

W lecie 1953 roku grupa studentów z krakowskiej PWST pozdawała końcowe egzaminy i została zaangażowana w Gdańsku. W grupie tej byli: Cybulski, Kobiela, Bilewicz, Jędrusik i wielu innych. Był w niej też Leszek Herdegen i jego ówczesna żona — Zaczykówna. Oboje wrócili do Krakowa. W 1955 roku pracowali jako aktorzy w Starym Teatrze, a Leszek dodatkowo współpracował z „Życiem Literackim".

Lato spędziłem na Mazurach. Pozostawałem w dalszym ciągu na etacie „Dziennika Polskiego" i przysługiwały mi przywileje „świata pracy" łącznie z możliwością korzystania z Funduszu Wczasów Pracowniczych. Było koszmarnie nudno, ale później nauczyłem się cenić ze znawstwem słowa piosenki Wojciecha Młynarskiego *Jesteśmy na wczasach w tych góralskich lasach*... Nie wspominałbym o tym, gdyby nie księgowy ze Śląska, który przypadł mi jako towarzysz dwuosobowego wspólnego pokoju. Po paru dniach znajomości wyznał mi, że służył w Wehrmachcie, i zaczął wspominać wojnę. Służył w artylerii górskiej, między innymi na Krymie. Ale zbyt często opowiadał, że jego bateria stosowała „ogień bezpośredni" i wtedy rosyjska piechota idąca do natarcia na jego oczach zamieniała się w „główki", które fruwały w powietrzu jak szatkowana kapusta. Wtedy ożywiał się, błyszczały mu oczy i nie mogłem oprzeć się wrażeniu, że obecny księgowy i były wehrmachtowiec miał sadystyczne skłonności. Na szczęście minęły dwa tygodnie i nie zrobił mi krzywdy, ale pożegnałem go bez żalu.

Nauka, którą z tego wyciągnąłem, była taka, że naród polski nie składa się wyłącznie z robotników i chłopów, których należy kochać, oraz z ich wrogów, których należy nienawidzić. Sprawa była bardziej skomplikowana. Naród polski składa się, na przykład, z takich księgowych pochodzących ze Śląska, których historię poznałem i z którymi nie wiadomo było, co począć. Bo przecież nie przyszło mi do głowy, żeby go zadenuncjować.

Zaczął się okres, w którym nastąpiło we mnie ogólne

przewartościowanie wszystkiego. Trwał on od nieznacznych początków aż do mojej pełnej świadomości i zakończył się moją ucieczką, bo tak to trzeba nazwać, za granicę.

Do mojego stalinowskiego czy też półstalinowskiego okresu należy objazdowa wystawa antyimperialistyczna. Nie pamiętam dokładnie, czy miała ona miejsce w 1952 czy 1953 roku. Za pierwszą datą przemawia idiotyczna afera stonki ziemniaczanej, o której wspomniano na wystawie. Winą obarczano Stany Zjednoczone. Rzekomo podczas wojny koreańskiej lotnictwo USA miało rozsiewać w Polsce stonkę ziemniaczaną — pasożyta atakującego ziemniaki. Specjalne ekipy jechały w każdą niedzielę „w teren" na poszukiwanie zagrożonej strefy. Lotnictwo amerykańskie miało działać nocą, zwłaszcza na terenach Ziem Odzyskanych. Co robiła nocą bohaterska obrona przeciwlotnicza i polskie myśliwce — nie wiadomo. Stopień ogłupienia ludności przez propagandę przewyższał nawet poziom głupoty tejże ludności. Obok doraźnej stonkowej akcji wystawa zawierała wszystkie elementy antyimperialistyczne owego czasu. Ucisk Murzynów, ucisk kolonialny, nędzę proletariatu, degenerację społeczeństwa, upadek moralności. Przemykałem przez wystawę z mieszanymi, typowo socjalistycznymi uczuciami. Podejrzewam jednak, że inni żywili uczucia jednolite i radosne. Pomimo zaciekłości prasy i pism satyrycznych, opisujących coca-colę jako „typowy produkt imperialistyczny, którego celem jest planowane zatrucie społeczeństwa", sława tego napoju zaczynała docierać nawet do nas. Ale zbiegowisko w tej części wystawy było imponujące. Każdy zapragnął, przeczytawszy slogany o „zatruciu społeczeństwa", doznać bodaj przez chwilę niebiańskiej rozkoszy tego zatrucia. I każdy trwał w milczeniu, ponieważ wystawa była pilnie obserwowana przez agentów UB w cywilu. Fotografie przedstawiające „nędzę proletariatu" i „upadek moralności" cieszyły się nieco mniejszym, ale też wyjątkowym powodzeniem. Opuszczałem wystawę pokrzepiony, jednak pełen sprzecznych uczuć. Byłem oficjalnie zadowolony, że umacnianie socjalizmu idzie, jak należy, ale w duchu cieszyłem się, że istnieje jeszcze na świecie nadzieja.

Pożegnanie z „Dziennikiem Polskim"

Na wiosnę 1955 roku wydarzyła się rzecz niesłychana: Światowy Festiwal Młodzieży w Warszawie. Po raz pierwszy na dwa tygodnie otwarto granice, wpuszczając do Polski bliżej nieokreśloną młodzież. Był to postęp oszałamiający — taki, jaki nie mieści się w głowach następnych, już bardziej normalnych pokoleń. I my w Polsce odczuliśmy to wtedy jako zapowiedź daleko idących, prawie rewolucyjnych zmian.

W Polsce, zwanej Ludową, zmiany jeśli przychodziły, to przychodziły nagle, z dnia na dzień. W kraju pozbawionym opinii publicznej nie mogło być inaczej. Wiadomość o Festiwalu Młodzieży była równie nagła, ale — w przeciwieństwie do ponurych, przeszłych i przyszłych doświadczeń naszego społeczeństwa, jak na przykład najazd na Czechosłowację czy stan wojenny Jaruzelskiego — niespodziewanie optymistyczna. Radość nasza była tym większa, że przemilczano cały aspekt seksualny tego niezwykłego wydarzenia. Pruderia była wtedy podwójnie wzmocniona przez komunistyczne tabu. Z państwowego, oficjalnego punktu widzenia byliśmy jedynie młodzi i kwita. Pięćdziesiąt tysięcy młodych Polaków i Polek w Warszawie w zderzeniu z pięćdziesięcioma tysiącami młodych chłopców i dziewcząt z całego świata! Z pominięciem wszystkich aspektów tego niesłychanego zdarzenia —

zakrawało to na głupotę rządzących nami. Ale założenie, że w komunizmie wszystkie zagadnienia daje się załatwić jawną bądź tajną siłą, znajduje tu uzasadnienie. Erotyzm to jedyna anarchia w znanym nam wszechświecie.

W dalszym ciągu należałem do zespołu „Dziennika Polskiego". Byłem jeszcze młody, ale już zasłużony, i wybranie mnie na Festiwal Młodzieży nie przedstawiało żadnych trudności. Przygotowania do tak ważnej chwili zajęły mi wiele czasu. Do dzisiaj pamiętam rodzaj bluzy z niebieskiej popeliny, coś pośredniego między frakiem a robotniczą odzieżą, która miała mi nadać odpowiednio dostojny a plebejski szyk. Bluzy takie wydawano z przydziału wszystkim członkom polskiej drużyny. Swoją drogą, wziąwszy pod uwagę biedotę ówczesnej młodzieży, takie wyjście było wskazane.

W Warszawie wyznaczono mi kwaterę w jakiejś szkole, na terenie getta tylko częściowo odbudowanego. Czterdzieści łóżek na ogólnej sali. Momentalnie przypomniały mi się barakowe koszary w forcie w Boernerowie i kapral w roli głównej. Nie podobał mi się chaos w organizacji całego przedsięwzięcia. Nigdy nie było wiadomo, który autobus odjeżdża w którą stronę i o której godzinie. Chroniczny brak programu, poczta wyłącznie pantoflowa, czyli niepewne wiadomości na temat tego, czy dana narodowość będzie przedstawiała swój program i którego dnia. W rezultacie jeździłem przepełnionym tramwajem po Warszawie, której nie znałem, dowiadywałem się o programie w ostatniej chwili oraz spóźniałem się na rauty i bale. Mimo to chodziłem po Warszawie jak zaczarowany. Nieustannie kochałem się w coraz to innej, widzianej z daleka dziewczynie, a raz nawet zatańczyłem z Murzynką. I byłoby znośnie, gdyby nie nadeszła nasza narodowa uroczystość w Pałacu Kultury i Nauki.

Jak dziś widzę we wspomnieniach sale pałacu, a w nich jakąś setkę ubranych jednakowo Polek i Polaków, trzymających się za ręce i śpiewających nieśmiertelną pieśń *Szła dzieweczka do laseczka, do zielonego*... Nie kwapiłem się do trzymania za ręce, a jeszcze mniej do śpiewania tej pieśni. Ale olśniła mnie całość tej sytuacji. Oto ja — zdziecinniały stary kretyn — bo już mi szło dwadzieścia pięć lat — trzymałem za ręce równie zdziecinniałego Polaka i Polkę i tańczyłem posuwiście, śpiewając: „...do zielonego, cha, cha, cha, do zielonego, cha, cha, cha, do zielonego". Znajdowaliśmy się w pałacu z fałszywego złota i sztucznych kamieni. Wrażenie, że ktoś robi ze mnie durnia, było tak silne, że ogarnięty furią, usiłowałem się dowiedzieć, kto to jest, żeby go zabić. A jednocześnie nie mogłem tej furii okazać i wykrzywiałem gębę w fałszywym uśmiechu do publiczności, którą stanowiła „młodzież z całego świata". Młodzież ta otaczała nas zewsząd, bijąc brawo. Doczekałem do zakrętu i zniknąłem.

Pierwszym tego następstwem było moje odejście z „Dziennika Polskiego". Nie lada dyplomacji to wymagało. Uzyskawszy audiencję u redaktora naczelnego, poprosiłem o dymisję. Przedstawiając argumenty, zaplątałem się w niedorzeczności. A mówiłem po prostu o wolności. Wyszło na to, że byłem w trakcie robienia kariery i dziennikarstwo mnie już nie interesowało. To była prawda, ale ja nie chciałem urazić kolegów dziennikarzy, a poza tym ogólnie panująca hipokryzja nakłaniała mnie do przyjęcia postawy: „Ja malutki. Nie bijcie mnie". Męczyłem się, bo ta myśl, której poszukiwałem wtedy w Pałacu Kultury i Nauki, była o krok od sformułowania. Myśl, że ktoś robi ze mnie durnia i że ten ktoś to ja sam. Wizyta w redakcji była konsekwencją tych rozważań. Aby móc wszystko powiedzieć do końca, musiałem poczekać na zmianę ustroju.

Nie byłem i nie chciałem stać się wariatem. Człowiekiem, który zaszedł najdalej, opierając się ustrojowi, był mój zmarły nie tak dawno genialny rówieśnik Janusz Szpotański — filozof, matematyk i szachista. Za swój opór zapłacił więzieniem, gdyż rozpowszechniał wśród znajomych satyryczne poematy i ktoś na niego doniósł. Zrozumiałem, że w Polsce najważniejszą rzeczą była przynależność do jakiejkolwiek instytucji i posiadanie legitymacji członkowskiej. Wtedy była szansa, że instytucja będzie bronić obywatela, kiedy tylko zajdzie taka potrzeba. Zamieniłem więc dziennikarstwo na znacznie bardziej prestiżowy zawód, który zresztą znany był mi od dawna. Moją instytucją nadrzędną stał się teraz Związek Literatów Polskich.

Tak więc po czterech latach przebywania w tym Związku w charakterze figuranta zaistniałem w nim naprawdę. To znaczy, jako pozornie tylko zgodny z jego światopoglądowymi założeniami. Taki wtedy był los polskiej literatury.

Odzyskałem relatywną wolność i powodziło mi się coraz lepiej. Zaniechawszy znienawidzonej publicystyki, zacząłem pisać felietony i opowiadania do pism ogólnopolskich. „Przekrój" w dalszym ciągu publikował moje rysunki. Ukazywały się też książeczki rysunkowe, wydawane przez Iskry. W następnym roku opublikowałem ilustrowaną opowieść pod tytułem *Ucieczka na południe*. W zimie 1956 roku napisałem powieść *Maleńkie lato*. Ale na pełne otwarcie na rzeczywistość i na samego siebie musiałem jeszcze poczekać aż do emigracji.

Na Wschodzie, czyli w Związku Radzieckim, panowała trójka: Malenkow, Bułganin i Kosygin. Trwał okres niepewności i nie wiadomo było, co z tego wyniknie. Na Zachodzie neokolonializm zaczął pękać w szwach, czego wynikiem był poroniony desant ze strony Anglii i Francji w rejonie sueskim. Na Wschodzie doszedł do władzy Chruszczow. Ale to nastąpiło dopiero późną jesienią, a ja w maju 1956 roku udałem się do Związku Radzieckiego.

Podróż do Rosji

Była to moja pierwsza podróż za granicę, nie licząc kilkudniowego epizodu na Słowacji. To była również pierwsza w historii wycieczka zagraniczna zorganizowana przez Orbis — państwowe biuro turystyczne. W punkcie zbornym, w pociągu podstawionym na Dworcu Wschodnim w Warszawie, zastałem uszczęśliwionych wycieczkowiczów. Byli uszczęśliwieni, ponieważ nagle zaczęła panować moda na swojego rodzaju sprawiedliwość, czyli na „rozwiązanie losowe". Polegało to na tym, że wycieczki zagraniczne były przydzielane przez losowanie, co w pewien sposób zapewniało sprawiedliwy ich rozdział. Z własnego doświadczenia wiem, że system ten pojawił się w 1956 roku i przetrwał najwyżej dwa lata. Nastał w ramach „odwilży", czyli — inaczej mówiąc — osłabienia władzy. Z chwilą kiedy zakończyła się odwilż, system ten automatycznie powrócił do normy, ale w dalszym ciągu nie było wiadomo, ile biletów na daną wycieczkę sprzedano losowo. Takie informacje w biurach podróży okryte były tajemnicą. Tym samym tajemnicą pozostało, ile biletów zarezerwowano przez czynniki oficjalne, ile przez znajomości, a ile przez płatną protekcję. Oczywiście po uprzednim zatwierdzeniu każdego uczestnika wycieczki przez UB. Niemniej cieszyli się wszyscy.

Rosja była dla mnie pamiętna z dwóch powodów. Po pierwsze — doznałem w niej poczucia przestrzeni. Po drugie — już w pociągu poznałem moją pierwszą żonę.

Trasa wiodła przez Moskwę, Kijów i Odessę. W Odessie przesiedliśmy się na statek. Jeden dzień odpoczynku na redzie w Jałcie i przystań finalna w Batumi. Tam pozostaliśmy przez tydzień, urozmaicony różnymi wycieczkami. Potem wróciliśmy do Odessy, a stamtąd pociągiem do Moskwy i Warszawy.

Przez dwa tygodnie pozostawałem „w gorączce", a w Odessie — na słynnych schodach — doznałem lewitacji. Uczucie swobody, przestrzeni i nieograniczonych możliwości ogarnęło mnie z siłą, której nigdy bym się nie spodziewał. Nagle przypomniałem sobie, że jestem jeszcze młody, a przyszłość jest przede mną. Kto by przypuszczał, że moja ucieczka na Zachód w siedem lat później zaczęła się na Wschodzie.

Zapoznałem się bliżej z moimi towarzyszami i towarzyszkami podróży. Byli to ludzie najrozmaitsi, od twórczych inteligentów (niektórzy byli bardzo znani w Warszawie) do ordynarnych kombinatorów. Szybko powstały grupy, zgodnie z zasadami doboru naturalnego. Pewną uciążliwością był rozdział pokoi, przestrzegany z całą surowością. Pary pozamałżeńskie, do których ja nie należałem, były rozdzielane w sposób nieubłagany. Nieodmiennie lądowałem w pokoju z pewnym nudziarzem, znacznie starszym ode mnie, ale nominalnie również nieżonatym. Ponieważ grupa ludzi znajdujących się w mojej sytuacji była bardzo liczna, zaczęły się niesnaski i narzekania, ale poza dawaniem wyrazu temu, co Polacy sądzą o Rosjanach, nic nie dało się zrobić. Podobną surowość miałem później spotkać w Madrycie. Tym razem z powodów wręcz przeciwnych do komunizmu. Było to za życia generała Franco, fanatycznego dyktatora i wyznawcy wiary katolickiej.

Po drodze było wiele oznak odwilży. W pociągu grasowali weseli włóczędzy, którzy — przymrużając oko — wyciągali ręce, domagając się datku na „międzynarodowe odprężenie". Również w pociągu w Kijowie, kiedy zapytałem pewnego inżyniera: „Która godzina?" — odpowiedział: „Czwarta". I po długiej chwili, odpowiednio wytrzymanej, dopowiedział: „Czas moskiewski". Rzecz nie do pomyślenia przedtem, kiedy Rosja i Ukraina istniały jako „niewzruszona jedność".

Na Krymie, kiedy ja i moja towarzyszka wracaliśmy na statek, przyczepiło się do nas dwóch małolatów. Byli podpici, weseli i śpiewali na francuską nutę piosenkę z repertuaru Yves'a Montanda: *Pajdiom w kino, s nami Brigitte Bardot, o la la la, c'est magnifique*. Inna rzecz, że kiedy w minutę później napotkał nas patrol milicji, nagle zesztywnieli i zaczęli iść prosto, dopóki patrol nie przeszedł. Odezwała się w nich stara, dobra tresura.

Miałem o Rosji ograniczone pojęcie. Przedstawiała mi się jako mroźna, północna równina. Teraz odkryłem Rosję południową, górzystą i pełną tropikalnych lasów. Zachwycił mnie Krym, Morze Czarne, palmy i egzotyczne owoce, a także gruzińska ludność, nieeuropejskie obyczaje i pobliże muzułmańskiej Azji. Wszystko to potwierdzało moje poczucie o nieskończonych możliwościach.

Wracałem z Rosji już odmieniony, sam jeszcze o tym nie wiedząc. Maria Obremba była Ślązaczką. Jej ojciec, później lekarz, był adiutantem w powstaniu śląskim. Jej babka mówiła tylko po niemiecku, ale jej chłopska rodzina z „zielonego" Śląska trwała w polskości. Matka była z Poznania. O ile sobie przypominam, popełniła mezalians, poślubiając chłopskiego syna, o czym nie przestawała mu przypominać. W roku 1939 ojciec Marii był już znanym lekarzem w Katowicach, ale musiał natychmiast uciekać, zagrożony przez gestapo. Jego historia z Korfantym była tego przyczyną. Dopiero po wojnie wrócił do domu, ale natychmiast potem zmarł. Maria miała bliźniaczą siostrę i często jeździła do Warszawy, gdzie przebywała jej siostra. Maria skończyła ASP i trudniła się pracami dorywczymi, jednak głównie uprawiała malarstwo, co w okresie realizmu socjalistycznego nie było rzeczą łatwą.

Po powrocie do kraju utrzymywaliśmy znajomość. Bywałem w Katowicach częściej niż ona w Krakowie, z uwagi na mój mikroskopijny kąt na ulicy Krupniczej. Tymczasem jej mieszkanie, przedwojenne, mimo przymusowych lokatorów, wciąż zapewniało nam dodatkową przestrzeń.

Gdy podróżowaliśmy po Rosji, w Polsce miała miejsce prawie rewolucja, która w ówczesnej prasie polskiej została nazwana „wypadkami poznańskimi". Na skutek kolejnej podwyżki cen na artykuły pierwszej potrzeby robotnicy w Poznaniu podnieśli bunt. Spalono znienawidzony gmach UB i wypuszczono więźniów. Przez chwilę wydawało się, że — mimo braku wszelkiej informacji — cały kraj przyłączy się do Poznania. Jednak reakcja milicji i wojska była bezwzględna. Zginęło wielu ludzi, do tej pory nikt nie wie ilu, a prezes Rady Ministrów — niejaki Cyrankiewicz — oświadczył uroczyście: „Każdy prowokator czy szaleniec, który odważy się podnieść rękę przeciw władzy ludowej, niech będzie pewien, że tę rękę władza odrąbie".

Austria i Wenecja

Rozgrzany „wygraną losową", postanowiłem spróbować jeszcze raz i wygrałem! Tym razem odbyłem wycieczkę do Wiednia i do Wenecji. Dzisiejsze podróże — nawet te wokół globu — są rzeczą zwyczajną. Wystarczy wpłacić zaliczkę w pierwszym lepszym biurze turystycznym. Ale wtedy należało przebyć różne skomplikowane formalności, których ostatecznego wyniku nigdy nie było się pewnym. Wreszcie znalazłem się w autobusie zdążającym do Cieszyna.

Pierwszy etap — Wiedeń — był jako tako na moją miarę. Wyrosłem w Galicji, jednej z trzech prowincji podczas wcześniejszych zaborów. Cywilizacja austriacka była mi więc bliska. Ale kiedy przekroczyliśmy granicę, uderzyła mnie... geometria. Stwierdziłem ze zdumieniem, że w Austrii była ona nieco inna niż w Polsce. Jej nadrzędną cechą była zgodność kątów prostych. Nic tam nie było krzywe, niepewne, pociągnięte ręką, której w połowie drogi odechciało się wszystkiego. Zapadł zmierzch. Porzuciłem rozważania o geometrii i oddałem się z kolei czynności podziwiania niezwykłej poświaty, która rosła nieznacznie, ale stale — w miarę jak zbliżaliśmy się do Wiednia. To, co początkowo wziąłem za zjawisko nadnaturalne, okazało się poświatą pochodzącą od niezliczonej ilości lamp ulicznych, neonów, oświetlonych okien, restauracji, barów i kawiarni. Po raz pierwszy w życiu, mając lat dwadzieścia sześć, zobaczyłem prawdziwe miasto. Porównanie z ówczesnym Krakowem było nieuchronne.

Jednak dopiero Wenecja przerosła moje wszelkie oczekiwania. Nic dziwnego. Znalazłem się w miejscu jedynym na świecie, osobnym, całkiem niezależnym od świata, nawet zachodniego. Ale to zrozumiałem znacznie później. Chodziłem po Wenecji w obłędnym zachwycie. Część tego zachwytu przekazałem potem we fragmentach opowiadania *Moniza Clavier*. Fragment dotyczący mojej wyprawy na Lido i spotkania jadącej konno Monizy oraz jej towarzysza jest autentyczny. No, może tam Monizy nie spotkałem, ale po Lido szedłem pieszo. Autentyczny jest również kapelusz gondoliera, zakupiony w Wenecji i przywieziony do Krakowa. Przez parę lat wisiał na lampie, dnem do góry, aż sczezł.

Życie po Październiku stawało się coraz ciekawsze. Historycy twierdzą, że takie było już wcześniej, od słynnego referatu Chruszczowa. W Polsce po raz pierwszy wydano *Złego* Leopolda Tyrmanda, co okazało się niebotycznym sukcesem. Błyskawiczną karierę robił Marek Hłasko. Ożywała „inicjatywa prywatna". Chodziliśmy codziennie na obiady do nowo otwartej restauracji w bramie przy ulicy Sławkowskiej i do restauracji Pod Gruszką — na rogu ulicy Szczepańskiej. W obu nie można było znaleźć miejsca, ponieważ przebywali w nich ludzie wybitni i obiecujący, którzy przyciągali innych. W oczach opinii krakowskiej należałem coraz bardziej do pierwszych niż do drugich. Codziennie piliśmy tęgo w Warszawiance do czwartej rano. Niektórzy na umór. Leszek Herdegen święcił tryumfy w Starym Teatrze. Wraz z żoną zmienili mieszkanie. Mieszkali teraz przy ulicy Masarskiej. Nastąpił złoty okres Piwnicy pod Baranami. Mnożyły się imprezy, bale, atrakcje i przedstawienia. Nowoczesna sztuka abstrakcyjna podnosiła się coraz śmielej w teatrze, w literaturze i w malarstwie. Doszło do tego, że lud używał pojęcia „picasy" — od nazwiska słynnego malarza, w ogóle go nie znając. Z ostrożności nikt tego nie mówił, ale rewolucyjny nastrój unosił się w powietrzu. Żyć, nie umierać.

Oprócz intensywnej działalności w „Przekroju" prowadziłem wtedy *Postępowca* — satyryczną rubrykę w „Dzienniku Polskim", a potem w „Życiu Literackim". Zgodziłem się też na zaproszenie Teresy Stanisławskiej, naczelnej „Echa Krakowa", do pisania recenzji teatralnych. Stale pisałem opowiadania i miałem pełne ręce roboty.

W coraz mniejszym stopniu brałem udział w życiu PZPR. Tajny referat Chruszczowa wstrząsnął PZPR oraz innymi partiami komunistycznymi w Europie. Polska partia pod wpływem tego szoku straciła na pewien czas dawną sprawność. Przyczyniły się do tego liczne afery, w tym głównie afera Światły — dawnego dygnitarza UB, który uciekł do Ameryki — a nieśmiała demokracja ostatniego roku też zrobiła swoje. Partia była w zawieszeniu, przyśpieszono wymianę pierwszych sekretarzy, trwały różne reformy. Dla takich jak ja była to idealna okazja, by zniknąć. Moja przynależność, którą odczuwałem coraz bardziej jako nieporozumienie, była jednak faktem.

Paryż

W tym czasie otrzymałem list z Zarządu Głównego Związku Literatów Polskich w Warszawie i nie mogłem uwierzyć własnym oczom. List donosił, że przydzielono mi pewną kwotę w dewizach celem sfinansowania wyjazdu do Paryża. W Krakowie podobne listy otrzymali: Jan Józef Szczepański, Tadeusz Nowak, Wisława Szymborska i przypuszczalnie jeszcze kilka innych osób. Wszyscy byliśmy młodzi, daleko nam było do późniejszych osiągnięć, a już zapraszano nas, i to gdzie? — do Paryża! Nie koniec na tym. W skali ogólnopolskiej takie listy dostało około dwustu osób, też na ogół młodych. Rozmawiałem później, już za granicą, z człowiekiem, który w tym czasie pełnił jakąś funkcję w zarządzie ZLP. Opowiedział mi parę zakulisowych szczegółów, z których wynikało, że nie wszyscy członkowie zarządu byli zwolennikami „nowego". O tym, co było nowe, wiedzieliśmy w Polsce aż nadto dobrze.

Przydzielona nam suma była nędzna, ale gotowi byliśmy pojechać za nic, byle tylko pobyć w Paryżu. Czym prędzej odpisałem, że się zgadzam, i oczekując odpowiedzi, zacząłem kombinować, jak by tu w Krakowie zdobyć radioodbiornik Szarotka. Szarotka była bowiem szczytem techniki w Polsce Ludowej. Było to radio jeszcze lampowe, ale działające już na zasadzie tranzystora. Mówiono, że w Paryżu można za to dostać fortunę, jeśli natrafi się na Żyda z Polski.

Tymczasem pierwszym państwem socjalistycznym, które otrząsnęło się z depresji, był Związek Radziecki. I słusznie, ponieważ on był ojczyzną proletariatu, a gromada „demoludów" powinna się była pozbyć kapitalistycznych miazmatów dopiero po nim. A przede wszystkim powinna się ich pozbyć Polska.

Przypadkiem wysłuchałem w radiu porannych wiadomości, zaczynających się od słów wypowiedzianych z odpowiednio liturgiczną pompą przez spikera, że pierwszym sekretarzem KPZR został towarzysz Chruszczow. Tak zaczął się okres panowania Chruszczowa, upamiętniony kryzysem Polski i Węgier, wizytą w Ameryce oraz kolejnym kryzysem kubańskim, który omal nie uśmiercił ziemskiego globu. Jak już wspomniałem, socjalistyczne wiadomości, nawet tak doniosłe, przychodziły nagle. Długo potem trwały spory między zachodnimi sowietologami na temat tego, co Związek Radziecki miał na myśli.

„Wejdą czy nie wejdą?" — powtarzało się na długo przed Solidarnością. Doszło do tego, że — jak wieść niosła — Chruszczow wylądował na lotnisku w Boernerowie pod Warszawą, aby przywieźć Gomułce ultimatum, że jeżeli Polska nie spełni radzieckich żądań, to „wejdą". Gomułka uspokoił go i zapewnił, że radzieckie żądania zostaną spełnione. Poprosił jednak o cierpliwość, twierdząc, że w Polsce zapanowała już taka sytuacja, iż nie od razu da się przywrócić porządek. Chruszczow przystał na to i odleciał, a Gomułka spełnił taką rolę, jaką później spełnił Jaruzelski wobec Breżniewa, tylko w łagodniejszej formie.

Chruszczow miał pełne ręce roboty. Ledwo uzgodnił sprawę z Gomułką, a już konieczna była interwencja na Węgrzech. Tam powiodło mu się gorzej niż w Polsce. W Budapeszcie wybuchło powstanie.

Pamiętam wieści na temat tego powstania. Przez parę nocy siedzieliśmy tłumnie na ulicy św. Jana w Krakowie. Już nie wiem dokładnie, który z muzyków jazzowych miał tam półlegalnie mieszkanie. Słuchaliśmy bez przerwy radia nastawionego na polską stację. Znajomi i półznajomi wchodzili i wychodzili, nikt nie spał, a nad wszystkim unosiła się wielka niewiadoma. Polska była otwarcie po stronie Węgier, polscy korespondenci wojenni byli w Budapeszcie, polskie samoloty lądowały tam, przywożąc krew dla rannych. I to było wszystko, co wiedzieliśmy. Wtedy rzeczowe informacje były bardzo skąpe, za to rozchodziły się najdziksze wiadomości świadomie zaaranżowane przez stronę radziecką. W końcu nikt nie wiedział, co się tam naprawdę działo. I tak już pozostało przez lata. Związek Radziecki stłumił powstanie i również propagandowo wygrał z nami. Polska już wkrótce potem zajęła się małą stabilizacją i zapomniała o Węgrach.

Oczywiście nie wiedzieliśmy nic o planach uknutych w Boernerowie przez Chruszczowa i Gomułkę. Kiedy Gomułka wrócił z dyskretnego zesłania i został pierwszym sekretarzem, kochaliśmy go wszyscy, ja także. Jest takie zdjęcie: Gomułka na pierwszym planie — przemawia na trybunie na placu Defilad, a pod trybuną widać nieskończone morze wiwatujących, rozentuzjazmowanych głów. Niedługo potem wyjechałem z Polski, ale dopiero po drugim, następnym wyjeździe pojąłem rozmiar zmian, jakie zaszły w Polsce — zmian na gorsze.

Do Paryża wyjechałem pod sam koniec 1956 roku z Tadeuszem Nowakiem, moim sąsiadem zza ściany, oraz z Wisławą Szymborską. Na miejscu mieliśmy dołączyć do Jana Józefa Szczepańskiego, który wyjechał nieco wcześniej. Przynależność do Krakowa była w nas bardzo silna, silniejsza niż dzisiaj. Nie wyobrażaliśmy sobie życia w innym mieście, tym bardziej — w Paryżu. Przed wyjazdem sprawiłem sobie garnitur z czarnej krepy, służącej tradycyjnie do szycia ubrań żałobnych. Materiał ten nabyłem w komisie. Ponieważ był to początek zimy, zamówiłem też kamizelkę, aby mi było ciepło. Ubranie uszyte przez samego pana Dyczka, naczelnego krawca „dobrego towarzystwa", było bardzo szykowne i zgodne z modą panującą w ówczesnym Krakowie. Włożyłem je w Paryżu tylko jeden raz — w noc, kiedy znalazłem się w kabarecie Crazy Horse Saloon. Nie włożyłem jednak kamizelki, bo zima w Paryżu, w odróżnieniu od zimy w krajach Europy Wschodniej, była bardzo ciepła i pociłem się niemiłosiernie.

Do Paryża jechaliśmy chyba przez Katowice, ale tego nie jestem pewien. A może jechaliśmy przez Warszawę i północną część Niemiec? W każdym razie kiedy wsiedliśmy do pociągu w Krakowie, to wysiedliśmy dopiero następnego dnia w Paryżu, nocą na Gare du Nord. Stanęliśmy na peronie. Ja — w czerwonej „bucówce" na głowie i w przedwojennym płaszczu, który dostałem od Herdegena w zamian za nowego „misia" w kolorze zgniłozielonym. Tadeusz Nowak — w granatowym bereciku, który nosił głęboko naciągnięty na czoło, a Wisława Szymborska miała na głowie chusteczkę, zawiniętą pod szyją. I nikt nie wychodził nam naprzeciw.

W tej sytuacji obudził się we mnie zwierz, którego bym nazwał „zdesperowanym lwem". Była to sytuacja w rodzaju tych, kiedy już nikt nic nie może zrobić i ja — nie mając innego wyjścia — muszę przystąpić do działania. Na Tadeusza Nowaka w sprawie znajomości języka francuskiego nie można było liczyć. Na Wisławę Szymborską też nie, a poza tym była kobietą, po dniu i dwóch nocach spędzonych w podróży, i nie wypadało mi na nią liczyć. Padło więc na mnie, zwłaszcza że przed wyjazdem zacząłem się uczyć francuskiego. Lekcji tych było o wiele za mało, by swobodnie rozmawiać, ale nie mogłem już na to nic poradzić.

Mimo że nigdy przedtem nie podróżowałem metrem, zdołałem umieścić tam naszą grupę wraz z bagażami. Dojechaliśmy do stacji Odéon i wynurzyliśmy się na powierzchnię. Okazało się, że był to rozległy plac z wieloma ulicami. Weszliśmy do pierwszego lepszego baru, żeby zadzwonić do hotelu. To znaczy ja miałem zadzwonić i w dodatku porozmawiać po francusku. Kiedy z drugiej strony odpowiedziano, że są wolne pokoje — nareszcie doznałem ulgi.

Przypominam te zdarzenia sprzed pięćdziesięciu lat. Z dzisiejszego punktu widzenia są one błahe, ale chcę podkreślić, jak mało wtedy znaczyły trzy osoby z Polski zagubione w Paryżu. Albo — jak bardzo Europa Wschodnia była wtedy odcięta od reszty świata.

Ulga była przedwczesna. Kto nie zna Paryża, ten nie może sobie wyobrazić, jak daleka jest droga z Place de l'Odéon do hotelu Saint-Louis-en-l'Ile, kiedy idzie się pieszo, wlokąc walizki.

Kiedy nareszcie, wraz z Tadeuszem Nowakiem, zasypiałem w nędznym pokoju, w małżeńskim łóżku pod końską derką, odczułem wielką satysfakcję. Okazało się po takiej próbie, że nie zginę, cokolwiek się stanie.

W Paryżu wszystko, poczynając od hotelu, było wtedy inne, niż jest obecnie. Końskie derki, stanowiące przykrycie, były autentycznym faktem. Odwiedziłem ten hotel jakieś trzydzieści lat później. Tylko zarys budynku, starego co prawda, przypominał o przeszłości. Hotel był teraz czterogwiazdkowy i wytworny, jak cała ulica Saint-Louis-en-l'Ile. Zaczynała się ona od kładki łączącej Notre Dame z wyspą (ta kładka też była kiedyś inna) i kończyła się na drugim brzegu wyspy. Cały Paryż zmienił się nie do poznania.

Kiedy przyjechałem tu później, po raz pierwszy na stałe, zaczynało się właśnie czyszczenie Paryża. Prezydentem Francji był wtedy generał Charles de Gaulle, a jego ministrem kultury — André Malraux, który wpadł na ten pomysł. Dotąd Paryż był od wieków brudnoszary, głównie z powodu kominów, a później od samochodowych spalin. Teraz stawał się coraz jaśniejszy i nieporównanie wypiękniał.

Francja aż do zakończenia wojny w Algierii w 1959 roku była biedna, a potem zaczęła się bogacić. Do tej pory sędziwi Francuzi wspominają czasy, które nazywają *les trente glorieux* — „trzydzieści lat chwały", mając na myśli trzydzieści lat rosnącego dobrobytu.

Dzielnica, w której mieszkałem po raz pierwszy, była uboga. Wyjątek stanowiły *hôtels particuliers* — pałace, też w stanie zaniedbania, w których przebywała rodowa arystokracja i doraźni dorobkiewicze. Ogólną biedę rozpoznawało się po niedostatku infrastruktury i braku turystyki. Dziury jako toalety, wprost w podłodze, nikogo nie dziwiły. Mnie też nie, bo przyjechałem z ówczesnej Polski, gdzie warunki sanitarne były wątpliwe. Turystyka kończyła się na Luwrze, Champs Elysées i okolicach. Obejmowała też dzielnicę rozpusty w pobliżu placu Pigalle. Jednocześnie dzielnica położona na lewym brzegu Sekwany była całkowicie arabska. Co noc wybuchały tam bomby, efekt porachunków między Algierią, która ciągle jeszcze była zależna od Francji, a policją. Wszystko to w obrębie wyspy.

To były ostatnie lata, kiedy policja nosiła jeszcze krótkie pelerynki, a paryskie metro zatrudniało kobiety w średnim wieku, kontrolujące przejścia podziemne. Stały one po obu stronach korytarza, bez przerwy dziurkując bilety i nieustannie rozmawiając o sprawach dla mnie niezrozumiałych, ponieważ nie umiałem jeszcze mówić po francusku. Zapewne były to sprawy nieistotne.

Francja była też jednym z powojennych krajów, w których obowiązywały jeszcze „stare pieniądze". Zakupy liczyły się w setkach i w setkach tysięcy franków, a „nowe pieniądze" wprowadzono w parę lat później. Przez dwa miesiące pobytu żywiłem się głównie zimnym mlekiem i pomarańczami i byłem zachwycony, ponieważ takie mleko było w Polsce niedostępne, a pomarańczy nie było w ogóle przez trzydzieści lat.

W pierwszych dniach rzuciliśmy się na tradycyjne paryskie szlaki, które każdy turysta musi tam przebyć. „Oficiel de Spectacles" — cotygodniowy informator wydawany w Paryżu — stał się nieodzownym elementem naszego wyposażenia. Na teatry brakowało nam pieniędzy, na restaurację — choćby skromną — również, więc odwiedzaliśmy zabytki i muzea. Ale była tam jedna tania rozrywka, której oddawaliśmy się do woli — kino. W Polsce kino dzieliło świat ideologicznie na dwie połowy — wschodnią i zachodnią. W Paryżu ta połowa, która była dla nas niedostępna w Polsce, otworzyła się i korzystaliśmy z niej obficie. Głód kina był dotkliwy. Jeszcze długo po powrocie do kraju opowiadałem Herdegenowi filmy, a on, mimo że nie był tym zainteresowany, słuchał ciekawie. Z jaką rozkoszą oglądałem filmy z całego świata, starannie pomijając filmy radzieckie i z „demoludów". Bo i takie filmy można tu było obejrzeć. W ten sposób minął tydzień, może dwa, i doszło do pamiętnego wydarzenia, kiedy spotkałem Cybulskiego i Kobielę na Champs Elysées.

Znałem ich od 1950 roku, kiedy wstąpiłem na architekturę, a oni do szkoły aktorskiej. Potem, w 1953 roku, oni przenieśli się do Gdańska wraz z całym rocznikiem i moje stosunki z młodymi aktorami się rozluźniły. Słyszałem, że działali w jakimś kabarecie świeżo założonym w Gdańsku, i tylko tyle o nich wiedziałem.

Na Avenue des Champs Elysées stałem przed witryną salonu samochodowego. Chodziłem tam dosyć często, żeby napawać się widokiem upatrzonego samochodu. Paryż — kraina marzeń — otworzył przede mną granice, by wszystko, co było dla mnie niemożliwe w Polsce, zamieniało się chwilowo w prawdę. Chwilowo, bo już za dwa miesiące miałem powrócić do rzeczywistości.

Wyjaśniam, że ten upatrzony przeze mnie samochód był najmniejszy z możliwych. Przypuszczenie, że mógłby to być ogromny mercedes, było równie szalone, jak i szalone było to, że był to najmniejszy samochód świata. Ale ja, chcąc zachować pozory logiki, musiałem zachować umiar i dlatego wybrałem to drugie. Moje myśli też były szalone.

Powitaliśmy się z właściwą Polakom za granicą serdecznością. To znaczy, z właściwą tylko w pierwszej chwili. Chwila ta wystarczyła, żeby się umówić na jutro. I tak wpadłem w szpony Katelbacha.

Nazwisko Katelbach pojawia się w jednym z filmów Romana Polańskiego. Nie jestem pewien, czy Polański rozmawiał z Cybulskim i Kobielą o Katelbachu, czy też pojawiło się ono przypadkowo. Jak każdemu aktorowi w Polsce i prawdopodobnie na świecie, Cybulskiemu i Kobieli nie było obce zjawisko tak zwanego cyca. Jest to człowiek spoza aktorskiego towarzystwa, np. inżynier, lekarz, adwokat, ale dotknięty uwielbieniem dla aktorów. Posiadając pewne środki finansowe, zaprasza aktorów na biesiady, chwali ich i jest dumny z tego towarzystwa. W zamian za to aktorzy schlebiają mu, jednocześnie kpiąc sobie z niego na boku.

Oficjalnie Katelbach był Polakiem i brytyjskim lotnikiem w czasie drugiej wojny światowej, ale koleje jego życia są niejasne. W chwili, w której pojawił się w Paryżu, był średniej miary przemysłowcem i zatrudniał na czarno robotników. Robotnicy ci naciskali maszynę przez ileś godzin dziennie, a za każdym naciśnięciem powstawał sztuczny kwiat z plastiku. Było to na początku ery tworzyw sztucznych, które wkrótce — wraz z innymi technologiami — miały zawładnąć światem. Katelbach sprzedawał na skalę przemysłową sztuczne kwiaty i z tego żył coraz lepiej.

Nigdy jednak nie zastałem przy maszynie ani Cybulskiego, ani Kobieli, choć miałem wrażenie, że pobierali za to wynagrodzenie. Jakoś tak się składało, że byli u niego w domu, na mieście, w barze albo w nocnym klubie. Widocznie na początku zaangażowali się jako robotnicy, ale wnet się okazało, że są w Polsce aktorami i czeka ich wielka przyszłość.

Dołączyłem do nich. Wprawdzie nie jako aktor, ale jako dość już sławny literat i — dzięki „Przekrojowi" — przede wszystkim jako rysownik.

Nigdy wcześniej nie byłem w sytuacji korzystającego z „cyca". Moim zdaniem jest to obrzydliwe. Wymaga hipokryzji, zwłaszcza gdy jest się w grupie innych korzystających. Z jednej strony wzmacnia uczucie pogardy dla obiektu, z drugiej — umacnia grupowe uczucie samozadowolenia. Jednak przebywając w obcym kraju, i to tylko przez dwa miesiące, nie mogłem się oprzeć pokusie. Dla Polaków bowiem w tym okresie charakterystyczne było przekonanie, że liczy się tylko to, co dzieje się w Polsce, a wszystkie grzechy popełnione za granicą nie mają żadnego znaczenia. Odkąd przyłączyłem się do Katelbacha, już nie tylko dwaj aktorzy, ale dwaj aktorzy i jeden literat przebywali w jego towarzystwie.

Ubocznym skutkiem mojego pobytu w Paryżu, po poznaniu Katelbacha, było wzmożone pijaństwo. Teraz alkohol, dzięki Katelbachowi, stał się jeszcze bardziej dostępny. Byłem nietrzeźwy albo wręcz pijany bez przerwy. Nie tylko z powodu Katelbacha i obrzydliwości z nim związanych. Przez cały ten czas, gdy przebywałem we Francji, miałem poczucie niższości dotyczące Polski i mojego własnego losu. Wydawało mi się beznadziejne to, że na zawsze już pozostanę w Polsce i będę z nią dzielił niewolniczą dolę. Piłem także dla dodania sobie animuszu, ponieważ czułem się skrępowany niemożnością swobodnego poruszania się, porozumiewania oraz załatwiania najprostszych spraw. Skończyło się na tym, że z jednej strony piłem z żalu, że wrócę do Polski, a z drugiej, że wracając, odzyskam zdolność działania, co powinno mnie powstrzymać od picia. Ale nie powstrzymało. Piłem więc z ogólnej rozterki.

Z powodu alkoholu słabo pamiętam inne zdarzenia z tego okresu. Noc w Crazy Horse Saloon na pewno do nich należy. Przypominam sobie tylko epizod, gdy poznałem Jacques'a

Tati, z czego potem byłem bardzo dumny. W ramach odwilży pozwolono w Polsce wyświetlać jego pogodną komedię, która miała niezwykłe powodzenie. W Paryżu w barze poznałem pianistę, który skomponował muzykę do tego filmu. Wyraziłem mój entuzjazm dla Jacques'a Tati. Mój rozmówca zapytał, czy chciałbym go poznać osobiście, gdyż mieszka tuż obok, po drugiej stronie ulicy. Przestraszyłem się. Wizyta u tak niesłychanego gospodarza wydała mi się czymś wyjątkowym, a w dodatku ledwie mówiłem po francusku. Mój rozmówca zadzwonił i Jacques Tati umówił się z nami na następny dzień. Nazajutrz z wielką tremą przyszedłem do baru. Mój rozmówca już czekał i razem poszliśmy na Champs Elysées. Jacques Tati mieszkał od strony podwórza w rozległym mieszkaniu na parterze. W odróżnieniu od ulicy było tam cicho i bardzo przyjemnie. Zamiast zwyczajowej kawy poprosiłem... ale o co? Innych trunków wtedy nie znałem, z pewnością więc poprosiłem o whisky. Jeszcze długo potem miałem teorię „natężania się", którą później sparodiowałem w utworze *Moniza Clavier*. Polegała ona na tym, że Polak, kiedy mu nic nie idzie, przystępuje do „natężania się" i wtedy od razu idzie mu lepiej. Oczywiście cały proces odbywa się za pomocą alkoholu.

Nie wiem, jak długo byłem u niego. Przypuszczam, że nie więcej jak godzinę, najwyżej dwie. Trudnością była dla mnie niezwykłość sytuacji oraz, rzecz jasna, „natężanie się". Z francuskiego przerzuciliśmy się na angielski, z którym lepiej sobie radziłem. Przedstawiłem mu się ogólnie — *Polish writer* — i wymieniłem miasto, z którego pochodzę — *City of Cracow, very interesting*. W zamian za to on ofiarował mi album *Zamki nad Loarą*, napisany po francusku, i zaprosił do siebie, gdybym kiedykolwiek przejeżdżał przez Francję. W dwa lata potem nieoczekiwanie znalazłem się w Paryżu, ale już nigdy nie zadzwoniłem do niego ani nawet nie zadbałem, by zachować jego numer telefonu.

Teraz myślę, że źle postąpiłem. Jako Polak, w owym czasie miałem najdziksze wyobrażenia o stosunkach między ludźmi w Europie, a ściślej mówiąc, o stosunkach między „nimi" a „nami". Wyobrażałem sobie Bóg wie co, a nie przyszło mi do głowy, że oni traktują nas normalnie i nie wiedzą, nie mogą wiedzieć o tym, że my, wychowani w anormalności, nie jesteśmy już w stanie zachować się tak jak oni.

Innym wydarzeniem była wizyta naszej grupy w Maisons-Laffitte w siedzibie Jerzego Giedroycia. Od pewnego czasu czytałem w Krakowie „Kulturę", ale rzadko, tylko kiedy warunki konspiracyjne temu sprzyjały. Przedtem pożyczyłem od znajomych, wtajemniczonych oczywiście, książkę Gombrowicza *Transatlantyk*, wydaną przez Bibliotekę Kultury. Ale nic z niej nie zrozumiałem lub też nie chciałem zrozumieć, bo sztywne zasady marksizmu mnie ogłupiły. Później zacząłem czytać uważniej i stwierdziłem, że język „Kultury" był inny od języka naszej potocznej mowy w kraju, i podświadomie starałem się ten język naśladować. Teraz, korzystając z okazji, przyłączyłem się do grupy.

Ale towarzyszył mi strach. Dziesięć lat w Polsce Ludowej zrobiło swoje. Odpowiadam tylko za swoje własne doznania i nie przypisuję ich nikomu innemu. Już kiedy wsiadaliśmy do pociągu jadącego do Maisons-Laffitte, poczułem się nieswojo. Opanowało mnie niedorzeczne uczucie, że ktoś nas śledzi. Uczucie to pozostało, dopóki nie skończyła się wizyta i nie znaleźliśmy się znowu w Paryżu.

Było tyle publicznych opisów domostwa w Maisons-Laffitte, że czuję się z tego zwolniony. Sam Giedroyc sprawił na mnie wrażenie człowieka nieprzemakalnego, w dodatku starszego ode mnie o całe pokolenie. Nakazywał niezmierny szacunek i nie pozwalał się zbliżyć do siebie. I takim pozostał dla mnie do końca życia.

Rozmowa przebiegała tak, jak powinna. Byliśmy gośćmi z Polski, w dodatku oddzielonymi od Francji o całą komunistyczną wieczność. Podczas tego pierwszego spotkania ani ja, ani inni z obecnych nie zamierzaliśmy zostać na stałe. Przeciwnie, sama myśl o tym budziła w nas niepozbawiony goryczy śmiech. Byliśmy świeżo rozbudzeni nadzieją, że wypadki ostatniego roku wróżą dalszy rozwój demokracji i że my wszyscy weźmiemy w niej udział. Giedroyc pokładał nadzieję w Gomułce i gotów był go poprzeć, czym zresztą sprzeciwił się reakcyjnemu Londynowi. Wszyscy byliśmy młodzi, w wieku poniżej trzydziestki. Ja, przebywając w Paryżu, mogłem sobie snuć pesymistyczne rozważania, o których już wspomniałem, ale co do powrotu — byliśmy zgodni: wszyscy wracamy do Polski i będziemy o nią walczyć.

A dzień powrotu już się zbliżał. Oczekiwałem go z żalem i z nadzieją, a ponieważ w tym wieku żal za tym, co było, jest krótki — pozostawała raczej nadzieja. Toteż już w drodze powrotnej przymierzałem w myślach kwiecistą kamizelkę wraz z całym garniturem z czarnej krepy i wyobrażałem sobie, że tak ubrany wchodzę do Domu Literatów na wieczorek satyryczny. Kamizelkę tę kupiłem w Paryżu. Wcześniej usiłowałem sprzedać radio Szarotka u pewnego krawca na rue de Temple. Nie dostałem wprawdzie zapowiadanej mi w Krakowie fortuny, a zaledwie równowartość zapłaconej za radio kwoty, jednak to w połączeniu z moimi oszczędnościami wystarczyło na zakup kamizelki.

Pobyt w Paryżu bardzo wzbogacił moje pojęcie o świecie. Już samo to, że przez dwa miesiące usiłowałem mówić po francusku, poszerzyło moje horyzonty, nie mówiąc o samej metropolii, o filmach i o całym tym innym świecie, który tam zobaczyłem.

Zauważyłem też, że Tadzio Nowak sprawiał wrażenie, iż to, co obce, budzi w nim niechęć, jeżeli nie odrazę. Ta różnica między nami dała mi na przyszłość dużo do myślenia.

Po moim powrocie do Krakowa jeden z reżyserów zamówił u mnie przeróbkę scenariusza. Scenariusz był wymęczony. Nie tylko że pochodził od Andersena, duńskiego pisarza z XIX wieku, lecz także po drodze przeszedł wiele konsultacji i przeróbek, a w końcu wylądował u mnie. Zrobiłem, co mogłem, ciesząc się jednak, że robię postępy i że moja sława sięga aż dotąd. Reżyser był miłym człowiekiem — jak słyszałem — i doskonałym pedagogiem, ale nie miał talentu. Niemniej, między innymi, mogłem już dopisać do mojego literackiego dorobku autorstwo scenariusza. Film był realizowany w Krakowie i przeszedł bez echa.

Doświadczyłem też aktorstwa. Otrzymałem list od Janusza Majewskiego, który kończył szkołę filmową w Łodzi. Zaproponował mi, abym wspólnie ze Stefanem Szlachtyczem zagrał w jego dwudziestominutowym filmie dyplomowym. Doświadczenie to przydało mi się później w teatrze.

Pod koniec roku pojawili się Cybulski i Kobiela. Byli w Krakowie i zaprosili mnie do drugiego programu, do teatrzyku Bim-Bom, który cieszył się rosnącą sławą wśród kabaretów w Polsce.

Wczesną zimą 1958 roku znalazłem się w Sopocie w Grand Hotelu. Teatrzyk Bim-Bom był międzyuczelnianym teatrzykiem w Trójmieście i pozostawał pod opieką wielu potężnych instytucji, takich jak ZMP, rada uczelni, rektorat i nieunikniona PZPR. Ale w tym okresie cenzura zelżała, prawie nie było jej widać, a Bim-Bom robił, co chciał. Już sama nazwa wskazywała, że był to teatrzyk w dużym stopniu apolityczny, propagujący sztukę uśmiechu — co było w tym czasie rewelacją — i bardzo sentymentalny. Jego motorem był Zbigniew Cybulski, pełniący funkcję dyrektora teatru, a jego najbliższym współpracownikiem — Bogumił Kobiela. Obaj byli zawodowymi aktorami, ale nie brali udziału w przedstawieniach Bim-Bomu. Pamiętam także Wowę Bielickiego, zupełnie jeszcze młodego Jacka Fedorowicza, Afanasjewa, Wojtycha, Tadzia Chyłę i wiele innych osób. Wszyscy aktorzy byli amatorami i studiowali na różnych wydziałach różnych uczelni.

Ponieważ Bim-Bom był pod opieką wspomnianych wyżej ważnych instytucji, nie miałem problemu z zakwaterowaniem w Grand Hotelu. Poza tym należy pamiętać, że w tych odległych latach nie istniała jeszcze turystyka na masową skalę. Za to Trójmiasto obfitowało w związki zwane twórczymi: Związek Plastyków, Związek Literatów, Związek Kompozytorów. Członkowie tych związków codziennie wpadali do Grand Hotelu jak do siebie, nie dbając o ceny, śmieszne w porównaniu z cenami dzisiejszymi. W tych czasach pojawiło się również sporo „prywatnej inicjatywy" i tak zwanych niebieskich ptaków, nierzadko tajnych agentów UB. Miasto było portowe, jedyne w Polsce relatywnie otwarte na szeroki świat. Kwitł różnoraki handel i różne interesy krzyżowały się w Sopocie. O niektórych dowiedziałem się dopiero po latach. Sam piłem okazyjnie przy barze z cudzoziemcem egzotycznego pochodzenia, prawdopodobnie Egipcjaninem, który „ćwiczył" nie wiadomo co na Helu, na terenach wojskowych. Mówił po polsku, ale — na szczęście dla siebie i dla mnie — bardzo nieudolnie. Skojarzyłem sobie nagle po wielu, wielu latach, kiedy czytałem gazetę, że mój egipski rozmówca był rówieśnikiem Nasera, który właśnie wtedy sprawował władzę w Egipcie.

I wszystko to odbywało się w Grand Hotelu.

Mój tryb życia był następujący. Budziłem się około dwunastej w obszernym pokoju na drugim piętrze hotelu stojącego tuż nad morzem. Odsuwałem zasłonę, aby sprawdzić, jaka jest pogoda. Wtedy akurat panowała ostra zima i morze było zamarznięte. Potem korzystałem z łazienki, której w Krakowie nie miałem. Następnie szedłem na śniadanie, nazywane dzisiaj brunchem. Już podczas tego późnego śniadania zbierali się koledzy, znajomi i ludzie, których spotkałem poprzedniej nocy. Kto pamięta ówczesny Grand Hotel w Sopocie, ten wie, że było to miejsce bardzo wygodne, a kawiarnia łączyła się z recepcją, w której osoby znane i nieznane przemieszczały się bez przeszkód.

Moja praca polegała na siedzeniu w tym samym fotelu, na którym siedziałem, jedząc moje późne śniadanie. Niekiedy zmienialiśmy miejsce i z kawiarni przenosiliśmy się do jakiegoś innego pomieszczenia. Przebywaliśmy w składzie: Kobiela, Wowo Bielicki, Fedorowicz, rzadziej Cybulski. Siedzieliśmy godzinami, rozmawiając o czymkolwiek, i niepostrzeżenie układaliśmy program *Radości poważnej*, bo taki program był z góry założony. Ten program wydawał się nam szczytem poetyckiej finezji, a w gruncie rzeczy mieścił się w ściśle określonej epoce. Przypominał chwyt publicystyczny: „Socjalizm z ludzką twarzą".

Przez cały czas przysiadali się do nas różni osobnicy. Opowiadali parę nieistotnych zdarzeń, parę anegdot i znikali, ustępując miejsca kolejnym postaciom. Od czasu do czasu jeden z nas miał pomysł, opowiadał go innym, a oni najczęściej go odrzucali albo w wyjątkowych wypadkach godzili się na niego. Podświadomie czy też świadomie goniliśmy za pomysłami nawet wtedy, kiedy byliśmy sami. Wtedy śpieszyliśmy się, żeby opowiedzieć je innym. Według moich doświadczeń tak powstaje program kabaretu.

Wreszcie nadchodziła pora obiadu, spożywanego na ogół również w towarzystwie, a potem następował czas wolny. Jest to eufemizm. Krótko mówiąc, czas wolny kojarzył się z tym, co w dawnych eleganckich lokalach nazywano dansingiem.

Była to szczególna pora, kiedy zasiadałem w barze i stała przede mną pierwsza wódka. Wydawało się, że cały hotel czeka na ten moment. Do rana mogło się zdarzyć wiele rzeczy. Z tego czasu pochodzą opowieści, którymi raczyłem liczne towarzystwo aż do mojego wyjazdu za granicę.

Zbliżał się dzień premiery i napięcie rosło. Z miasta dochodziły słuchy, że cała inteligencja wybiera się na premierę. Sekretariat nie mógł się opędzić od zamówień, artyści mieli coraz większą tremę. Ale największą tremę miałem ja. Był to przecież pierwszy kabaret w moim życiu. Gdy nadszedł uroczysty wieczór, zasiadłem — zbyt skromnie, jak się później okazało — wśród publiczności. Byłem pewien, że po zakończeniu spektaklu ktoś wywoła mnie na scenę i będę się kłaniał wśród braw, kwiatów i pięknych a przychylnych mi kobiet.

Ale mylnie oceniłem autorską mentalność. Każdy autor tego przedstawienia chciał być pierwszy, a jeżeli to miałoby się nie udać, to mógł ostatecznie dzielić uznanie z jednym osobnikiem, no, może z dwoma, najwyżej z trzema, ale — na miłość boską — nie z czterema! Jeżeli więc któryś z nas usiadł na widowni i nie kwapił się do samodzielnego wejścia na scenę — tym lepiej dla wszystkich pozostałych.

A sukces był naprawdę wielki. Rzeczywiście nastąpiła burza oklasków, a piękne kobiety zwróciły się ku autorom, ale, niestety, nie w moją stronę. Ciężko przeżyłem tę gorycz i wyjechałem do Krakowa.

Gdy tylko wysiadłem z pociągu w Krakowie, natychmiast olśniła mnie pewna myśl. Napiszę sztukę, wszystko jedno jaką, i sam będę zbierał laury. Co prawda do tej pory nie pisałem żadnej sztuki, ale tym razem miałem pewien projekt, który nijak nie pasował do opowiadania, ale na sztukę był w sam raz. Postanowiłem się do niego zabrać.

Mój pierwszy teatr

Wyjechałem do Sobieszowa, do nieistniejącego już dzisiaj pensjonatu. Zawsze lubiłem Ziemie Odzyskane, gdyż wszystko tam jest niemieckie i można ulec złudzeniu, że jest się za granicą. Okolica była w miarę górzysta i lesista, pensjonat stał w ogrodzie, domowników było niewielu, zresztą nie pamiętam ilu, bo pisałem w transie przez całe sześć dni i nocy, zanim położyłem słowo „koniec". Był to mój rekord życiowy w pisaniu sztuk.

Po ukończeniu odczułem ulgę i jednocześnie radykalną zmianę. Nie szkodzi, że była to komedia (sztuka ta miała tytuł *Policja*), po raz pierwszy poczułem się pisarzem z prawdziwego zdarzenia i odtąd wiedziałem już o tym na pewno. Konsekwencje były dla mnie niespodziewane i nad podziw radosne. Wtedy w Polsce sztuka teatralna była najważniejszą ze sztuk. To wynikało ze zbiorowej reakcji publiczności, a także z ograniczeń cenzury. Mając taką zdolność tworzenia przedstawień teatralnych, jaką wtedy miałem, oraz naiwnie wierząc, że ta zdolność będzie trwała wiecznie — czułem się panem przestworzy.

Po powrocie do Krakowa przepisałem sztukę i zabrałem się do jej rozpowszechniania. Miałem świadomość, że ta sztuka jest nowa, odkrywcza i że zasługuje na natychmiastowe zagranie jej w teatrze. Złożyłem ją w Starym Teatrze, oczekując entuzjastycznej odpowiedzi.

Tymczasem odpowiedź nadeszła ze zwłoką. Dyrektor teatru, z którym łączyła mnie odległa znajomość — w Krakowie wszyscy są jakoś zaprzyjaźnieni ze wszystkimi — odpisał odręcznie, że sztuka jest, owszem, dosyć dobra, ale niepozbawiona licznych błędów i żeby te błędy wykorzenić, proponuje mi spotkanie. Za jego poradą błędy zostaną wykorzenione i sztuka — podpisana przez owego dyrektora i przeze mnie — zostanie wystawiona w jego teatrze.

Po przeczytaniu listu ogarnął mnie pusty śmiech i jednocześnie poczucie tryumfu. Nie odpowiadając na list, posłałem tekst sztuki do Adama Tarna, świeżo mianowanego redaktora „Dialogu" w Warszawie. Natychmiast przyszła telegraficzna odpowiedź o takiej mniej więcej treści: „Sztuka doskonała. Proponuję Teatr Dramatyczny w Warszawie. Proszę przyjechać celem omówienia warunków".

Pisanie sztuki ukończyłem w marcu. Sezon w teatrze trwa do końca czerwca, a potem teatry zawieszają działalność do 1 września. Premiera sztuki powinna więc była odbyć się najdalej do końca czerwca, ale na eksploatację sztuki nie pozostało już wystarczająco dużo czasu. Rychło zacząłem się domyślać, skąd wynikał pośpiech Adama Tarna. Trwająca od dwóch lat odwilż miała się ku końcowi.

Nie mogłem się powstrzymać od złośliwości. Nieważny już bilet kolejowy posłałem Zbyszkowi Cybulskiemu na Mazury. Zbyszek organizował tam obóz dla uczestników Bim-Bomu i opracowywał kolejny program. Uważałem, że — jak to się wtedy mawiało z rosyjska — Zbyszek „paniał aluzju".

Z końcem czerwca pojechałem znowu do Warszawy na

premierę. Każdemu neurotykowi, który stale się trapi swoim nędznym losem, polecam napisanie sztuki i wystawienie jej w teatrze. Teatr Dramatyczny w Warszawie, mieszczący się w Pałacu Kultury i Nauki, nie widział człowieka tak szczęśliwego jak ja. Ludzie pokładali się ze śmiechu i co chwila bili brawo. W ciągu każdego antraktu rosło podniecenie i na zakończenie trzeciego aktu, kiedy sierżant powiedział ostatnie zdanie: „Niech żyje wolność!" — zapanowała cisza i potem nastąpił jednomyślny i długo nieustający huragan braw. Zostałem wywołany na scenę, kłaniałem się z aktorami nieskończoną ilość razy, udzielałem wywiadów za sceną, a Świderski — reżyser przedstawienia — wyprowadził mnie bocznym wyjściem, żeby mnie uchronić od tłumu nagłych wielbicieli, którzy jeszcze dwie godziny temu nie wiedzieli o moim istnieniu. Wszystko, o co mi chodziło, zostało spełnione.

Jak się spodziewałem, przygoda ta — lub, jak kto woli, dalszy rozwój mojej osobowości — ustaliła moją renomę jako ogólnopolskiego, a nie tylko krakowskiego pisarza. Pozwoliła też osiągnąć znaczną popularność. Konkretnym tego przejawem były teraz częste propozycje dotyczące mojej ewentualnej przeprowadzki do Warszawy. Ale ja, mimo że byłem coraz bardziej udręczony warunkami mieszkaniowymi w Krakowie, oparłem się tym pokusom. Byłem bardzo związany z Krakowem i nie wyobrażałem sobie życia poza nim. I nawet to okno wychodzące na zachód, przez które widać było kopiec Kościuszki, nie przestawało mnie fascynować. Wybaczałem więc brak łazienki w moim pokoju i chodziłem do łaźni miejskiej.

Stany Zjednoczone

Ale przełom w moim życiu miał dopiero nadejść. I to wtedy, kiedy się go najmniej spodziewałem.

Tym razem posłańcem przeznaczenia był Jan Józef Szczepański. Otóż Jan Józef Szczepański — podróżnik od czasu, kiedy odwilż uwolniła jego paszport — wrócił właśnie z Harvardu, gdzie przebywał w Summer School. Powróciwszy, wybrał mnie i polecił na przyszły rok profesorowi Henry'emu Kissingerowi, który tej letniej szkole patronował. Summer School odbywała się każdego lata w lipcu i sierpniu. Warunkiem było, żeby uczestnik nie przekroczył trzydziestego roku życia i czegoś już dokonał w polityce, ekonomii bądź sztuce. Nie było ważne, z jakiego kraju na świecie pochodził. Spełniałem wszystkie te warunki. Aby uzyskać paszport, i to na wyjazd do Stanów Zjednoczonych, należało przystąpić do działania od razu. Trzeba było napisać podanie, zebrać załączniki i przede wszystkim czekać.

Opuściłem Polskę przed końcem czerwca 1959 roku. Z Warszawy poleciałem samolotem do Londynu, spędziłem noc w hotelu i stamtąd pociągiem pojechałem do Plymouth. Był to bowiem ostatni port nad La Manche, z którego odpływały wielkie statki do Ameryki.

Statek, który mi wyznaczono, nazywał się „United States".

Był to nowoczesny statek, ale mimo to zaraz po tym rejsie pozostał w porcie na wiele lat. Później przeczytałem, że został przerobiony i sprzedany jako statek turystyczny, zaczęła się bowiem era transatlantyckich samolotów odrzutowych.

Zaokrętowałem się i byłem bardzo ciekaw, jacy współpasażerowie przypadną mi w kabinie. Po chwili ukazali się prawie jednocześnie. Okazało się, że jeden był Szwedem, a drugi Turkiem. Szwed — jak przystało na Szweda — był wysokim, szczupłym, łysiejącym blondynem i miał wysokie, wypukłe czoło. Natomiast nigdy wcześniej nie widziałem Turka, więc nie mogłem go z nikim porównać. Wiedziałem tylko tyle, że miał włosy na jeża, okrągłą twarz i równo przystrzyżony wąs. Przy bliższym poznaniu okazał się człowiekiem dobrodusznym i miał wielkie poczucie humoru. Szwed był profesorem uniwersytetu i współpracował z dużym dziennikiem „Svenska Dagbladet". Turek był prawnikiem w miasteczku, a może nawet w dużym mieście w głębi Turcji. Ponieważ jednym z warunków dla kandydata była znajomość angielskiego — obaj mówili po angielsku.

Znajomość zaczęła się od razu w kabinie. Ponieważ ja oświadczyłem, że jako zacofany Polak nie będę w stanie obsługiwać nowoczesnych urządzeń, poprosiłem o to Szweda. Przyłączył się do mnie Turek, który stwierdził, że dorównuje Polakowi pod względem zacofania. Szwed objaśnił nam obu zasady działania urządzeń sanitarnych i od razu zapanowała między nami harmonia.

Podróżowaliśmy pięć dni. Szybko nauczyliśmy się okrętowej dyscypliny, która — jeżeli jej przestrzegać — nie jest uciążliwa. Statek zabierał około dwóch tysięcy pasażerów. Był więc ogromny i nigdy nie pojąłem hierarchii wśród załogi. Wiedziałem ze słyszenia, że kapitan — najwyższa władza na statku — pojawiał się rzadko wśród pasażerów. Ale to, że byłem pasażerem na statku, było dla mnie wystarczającym urozmaiceniem.

Piątego dnia o świcie minęliśmy Statuę Wolności. Jak każdy Polak, poczułem wzruszenie na jej widok. Pojęcie wolności w tym czasie przemawiało do mnie szczególnie. Ponieważ byliśmy jeszcze na statku, wszystkie pozostałe statki wydawały się w ruchu. Przesuwały się więc majestatycznie, a na koniec ukazały się podłużne hangary i nabrzeże. Zawinęliśmy do portu Nowy Jork.

Znajomi podróżnych stali na nabrzeżu i machali rękami, a podróżni machali tak samo w stronę znajomych. Nie obyło się bez łez wzruszenia. Potem podróżni przechodzili po trapie i padali znajomym w objęcia.

Autokary już na nas czekały. Po załatwieniu formalności imigracyjnych wsiedliśmy do nich i ruszyliśmy w drogę. Po raz pierwszy mogłem spojrzeć na Nowy Jork.

Zapach Ameryki był inny niż gdzie indziej na świecie. Ameryka nieodłącznie kojarzyła się z samochodem i z autostradą. Kiedy dotarliśmy do Harvardu i gdy na campusie wysiadłem z autokaru, nagle znalazłem się wśród starych drzew spokojnej Anglii XIX wieku. Ale to był wyjątek, tutaj człowiek był tylko dodatkiem do samochodu. Już te różnice świadczyły, że Ameryka i Europa, a zwłaszcza Europa Wschodnia, istniały w różnych cywilizacjach.

Wyznaczono mi miejsce w dwuosobowym parterowym domu z cegły. Tak się budowało sto lat temu na uniwersyteckich campusach. Wąskie i wysokie okna z czarnymi cienkimi ramami były zaopatrzone w siatki na komary. Było gorąco i parno i tak już pozostało co najmniej przez dwa miesiące.

Mieszkanie było dobrze urządzone. Dzieliło się na osobne sypialnie i wspólny pokój dzienny. Moim sąsiadem okazał się dziennikarz francuskiego tygodnika „L'Esprit". Turka widywałem od czasu do czasu w stołówce i na wspólnych wycieczkach autokarowych. Ale Szwed został moim przyjacielem i spotykaliśmy się codziennie przy piwie albo przy whisky w lokalu poza campusem.

Uczestników Summer School podzielono na sekcje: ekonomiczną, polityczną oraz sekcję sztuk pięknych. Tylko jeden raz byłem na zajęciach z literatury. Do zabierania głosu zawsze odczuwałem wstręt. Z tego powodu cierpiałem później przez czterdzieści lat z okładem. Podczas emigracji dostawałem propozycje, żeby pojechać tu i ówdzie na jakiś zjazd, konferencję czy publiczną dysputę, i nigdy nie miałem na to ochoty. Ale z drugiej strony chciałem wyjeżdżać, kiedy tylko się dało, wyjeżdżać na różne kontynenty, a przynajmniej chciałem się poruszać po Europie. Kończyło się tak, że przyjmowałem zaproszenie, a na miejscu nie mówiłem ani słowa. Z początku dziwiono się i oczekiwano, że coś powiem, a potem machano ręką. Wyrzuty sumienia koiłem świadomością, że żaden z pozostałych uczestników spotkań z publicznością nie stosował mojej metody. Wszyscy przemawiali z wielką werwą.

Metoda ta działała pod jednym warunkiem: do żadnego kraju nie mogłem jechać więcej niż tylko jeden raz. Ale to mi wystarczało.

Podobną awersję miałem do spotkań typu *cocktail party*, gdzie dominował *small talk* — czyli mówienie bez sensu, mówienie, aby mówić. *Cocktail party* polega na tym, że gromadzi się w jednym pokoju pewną liczbę osób i nie pozwala im się usiąść. Osoby te, nie znając się wzajemnie, ulegają towarzyskiej przemocy i zaczynają mówić byle co. I pół biedy, gdyby można było wyjść z *cocktail party* po upływie godziny. Problem bierze się stąd, że zaprasza się na *cocktail party* zarówno mężczyzn, jak i kobiety. U mężczyzn powoduje to podniecenie, rodzaj przyjemnej intensywności, a u kobiet, mam nadzieję — również. Otóż ja nie znoszę kretynek, a widok ślicznej kretynki powoduje u mnie tylko głęboki smutek. Chyba że w rozpaczy wypijam parę szklanek whisky, która tępi wrażliwość.

Gdybym brał pod uwagę to, co zdarzyło się pewnego lipcowego dnia 1959 roku w stanie Massachusetts, w domu ówczesnego profesora Harvardu Henry'ego Kissingera, to uwierzyłbym w historyczną rolę jednostki i tą jednostką byłbym właśnie ja. Dzień ten był szczególnie ważny w życiu Harvard School. *Cocktail party* było wyznaczone na godzinę siedemnastą i miało wziąć w nim udział całe International Seminar w liczbie około 40 osób i co najmniej drugie tyle zaproszonych gości. Cała ta społeczność była żywo zainteresowana osobą profesora Kissingera. Co do International Seminar — byli to ludzie młodzi, ekonomiści, początkujący dyplomaci i intelektualiści, niemający dotąd żadnych powiązań z Ameryką. Nic dziwnego, że każdy z nich łączył z profesorem takie czy inne nadzieje. Ale jeśli chodzi o zaproszonych gości, to przypuszczam, że przeczuwali oni wielką rolę, jaką miał odegrać Henry Kissinger w Stanach Zjednoczonych i na świecie. Było to, zanim zrezygnował z Harvardu i przeniósł się do Waszyngtonu, gdzie został sekretarzem stanu — najpotężniejszym człowiekiem zachodniego świata obok prezydenta. Dla złośliwych stało się wtedy jasne, że International Seminar było częścią jego gry. Zapraszając młodych ludzi z różnych części świata, ekonomistów i dyplomatów, zapewniał sobie wpływy, kiedy dojdą do wyższych stanowisk w partiach rządzących oraz w opozycji. Ja byłem częścią uboczną tej gry, spisaną na straty.

Kiedy Henry Kissinger doszedł do władzy, mieszkałem już we Włoszech. Nie było gazety, w której na pierwszej stronie nie ukazywałyby się jego wypowiedzi na temat polityki Stanów Zjednoczonych na miarę globalną, jak i plotki o jego miłostkach na stronie ostatniej.

Zostaliśmy dowiezieni autokarem. Na miejscu przekonaliśmy się, że Henry Kissinger nie mieszkał w Harvardzie, ale w miejscowości trochę od Harvardu oddalonej, w domu o wiele bardziej imponującym niż to, do czego przyzwyczaił nas stan Massachusetts. Zaczęło się od *cocktail party*, a ja przystąpiłem do „natężania się" za pomocą alkoholu. Przesadziłem i wynik był żałosny. Obraziłem się na cały świat, już nie pamiętam, z jakiego powodu. Wkrótce, nie żegnając się ani z gośćmi, ani nawet z gospodarzem i jego żoną, ukradkiem wyruszyłem pieszo w drogę powrotną. Przeliczyłem się i zgubiłem drogę. Zaczął się koszmar. Na wpół pijany, szedłem przez bogate osiedla i nie spotkałem żywej duszy, pomimo że pora była zaledwie popołudniowa. Aż dziw, że ktoś nie zadzwonił po policję. Wystarczyło, żeby zadzwonił z wnętrza domu. Nadmieniam, że było to jeszcze przed rewolucją obyczajową, kiedy taki widok był skandalem.

Taki idący samotny i pijany Polak w krawacie przypomina mi zdarzenie z wczesnej młodości. Szedłem wtedy przez pola ze Sterkowca do Porąbki Uszewskiej, kiedy na horyzoncie wynurzył się parobek w ubraniu pomiętym od trzech dni, który wracał z jakiegoś wesela i zgubił drogę. Mijając mnie, zawołał w pijackiej ekstazie, a ślina idioty ciekła mu po brodzie: „Śpir my pili!”.

Po powrocie do Polski, już w Krakowie, otrzymałem pismo urzędowe od prezydenta miasta, które zawiadamiało mnie, że profesor Henry Kissinger wraz z żoną przebywa w Polsce i przy okazji wizyty w Krakowie wyraził życzenie, abym — również wraz z żoną — był obecny na obiedzie w restauracji Pod Aniołami. Z radością zgodziłem się na to spotkanie. Nie widzieliśmy się od tamtej pory i obaj byliśmy emerytami. W obiedzie wzięło udział kilka ważnych osób, a profesor Kissinger mówił do nich swoim charakterystycznym, lekko ochrypłym głosem na tematy ogólnoświatowe. Ja przysłuchiwałem mu się w milczeniu. Profesor Kissinger przyzwyczajony był do tego podziału ról, co nie przeszkadzało przez wszystkie te lata temu, że obaj żywiliśmy do siebie wzajemnie szczerą sympatię.

Wspomniałem o amerykańskiej rewolucji obyczajowej. Kiedy pierwszy raz tam przybyłem, trwała niezmienna bogobojność od czasów, kiedy Ameryka była tylko kolonią. W tych czasach przepisy kinematografii, regulujące odległość kobiety od męskich rąk, były skodyfikowane i surowo przestrzegane, a złamanie ich podlegało sądowej karze. Dozwolony był tylko niewinny pocałunek jako symbol narzeczeństwa, ale ujęty w „planie amerykańskim”, to znaczy od pasa w górę, a zaraz po nim następowało szybkie zaciemnienie obrazu. Ale to się już zmieniało. Kino na wolnym powietrzu stawało się coraz bardziej popularne. Po zapadnięciu zmroku tysiące młodych dziewcząt i chłopców zamykało się w samochodach, a głosy na wielkim ekranie akompaniowały w sposób cokolwiek surrealistyczny temu, co się w tych samochodach działo. Kiedy przybyłem do Ameryki i pierwszy raz poszedłem na plażę, mając na sobie tylko przywiezione z Polski kąpielówki, zwane ówcześnie pływkami, podszedł do mnie dyżurny ratownik w spodniach do kolan i oświadczył, że muszę się oddalić, gdyż w myśl obowiązujących przepisów wolno mi pozostać na plaży tylko w takich spodenkach, jakie on sam nosi. Ale już parę lat później nikt nie zwracał na to uwagi, a jeszcze później — można się było kąpać nawet nago.

Jestem zdania, że Ameryka w 1959 roku była już bardzo znerwicowana, nieomal na granicy eksplozji. Oglądałem niedawno stary film Billy'ego Wildera z Marilyn Monroe, a pierwszy raz widziałem ten film właśnie w Ameryce w 1959 roku. Banalna historia wakacji, jakich wiele. Historia mężczyzny i kobiety, ale ukoronowana sceną, która — jako zdjęcie — obiegła cały świat: Marilyn Monroe rozkraczona, w białej wydekoltowanej sukni, stojąca nad wentylacją metra i jej tekst, który wbrew temu, co oczywiste, był perfidnie niewinny. Ten nastrój unosił się w powietrzu tamtego lata, przenikał do podświadomości i nadawał styl. Cztery lata później zamordowano prezydenta USA Johna Kennedy'ego, zaczęła się na dobre eskalacja w Wietnamie i pojawiły się pierwsze zbuntowane „dzieci-kwiaty".

Czytelnikowi nasuwa się pytanie, co ja tam właściwie robiłem, jeżeli nie chodziłem na obowiązkowe zajęcia. Odpowiedź jest prosta: przed południem spałem, a po południu Amerykanie — będący ludźmi bardzo gościnnymi — chcieli nam pokazać jak najwięcej rzeczy z różnych dziedzin i dokładali starań, żebyśmy się nie nudzili. A ponieważ są tam wielkie odległości, wozili nas autokarami. Tak na przykład zwiedziłem więzienie, które przy okazji wydało mi się szczytem komfortu. Pamiętam też, że byłem, i to nie jeden raz, w Nowym Jorku. Odwiedziłem tam dyrektora Fundacji Kościuszkowskiej, inaczej nie przywiózłbym z tej podróży kilku książek, między innymi *Słownika polsko-angielskiego i angielsko-polskiego* w wydaniu The Kościuszko Foundation. Książki te mam do dzisiaj.

Osobną kartę mojego życia towarzyskiego stanowiło polskie środowisko Harvardu oraz okolicy. Poznałem tam profesora Wiktora Weintrauba i jego żonę. Przyjaźniłem się z nimi później we Włoszech i w Paryżu. Byli to ludzie starsi ode mnie zaledwie dziesięć lat.

Nie było jednak ważne, co robiłem w Ameryce, lecz co wtedy myślałem. Do tej pory od urodzenia mieszkałem w Polsce i brakowało mi wyobraźni, że można żyć gdzie indziej. Spędziłem, co prawda, jako turysta miesiąc we Francji i dwa tygodnie w Związku Radzieckim, przy czym okazało się, że Związek Radziecki — jako kraj komunistyczny — jest jeszcze gorszy od Polski, ale być turystą a mieszkać w danym kraju to nie to samo. Z Ameryką było inaczej. Objawiła mi się ona jako kontynent nieograniczonej swobody. Co więcej, ta swoboda była zaraźliwa. Już po dwóch miesiącach pobytu, kiedy planowałem powrót do kraju, postanowiłem nie wracać najkrótszą drogą, lecz przez Francję i Włochy, a potem przez Austrię do Polski.

Ale nie tylko o tym myślałem w Ameryce. Po raz pierwszy rozważałem małżeństwo. Mój związek z Marią trwał już trzy lata i wymagał decyzji. Nie należę do osób, które chętnie się żenią. Szeroko pojęta wolność dotyczy także małżeństwa. Bliższy związek wydaje mi się jakościowo inny niż luźne związki.

Myślałem też o ostatecznym porzuceniu Krakowa i przeniesieniu się do Warszawy oraz o tym, że jeżeli oświadczę się Marii, to pozostanie w Krakowie będzie nonsensem. Z tego wynika, że Ameryka obudziła we mnie potrzebę zmian, a każda zmiana kojarzy się z nowym miejscem, do którego należy dojść.

Pożegnałem się z amerykańskimi przyjaciółmi, miejscową Polonią i międzynarodową grupą ludzi, z którymi los złączył mnie na dwa miesiące. Statek, który miał mnie przewieźć z powrotem przez ocean, nazywał się „Queen Mary" i nie dorównywał „United States". Wszystko na nim było cokolwiek zaniedbane, lekko zakurzone, byle jakie i sprawiało wrażenie, że imperium brytyjskie, samo chylące się ku upadkowi, posunie się jeszcze dalej, gdy opuszczę ten statek. I rzeczywiście. Później, już we Włoszech, przeczytałem, że był to ostatni rejs statku „Queen Mary". Został oddany na złom.

Z Cherbourga do Paryża jechałem pociągiem. Było wrześniowe letnie popołudnie i niewielu pasażerów siedziało w przedziałach. Ten dzień był upalny jak wszystkie poprzednie dni i miałem wrażenie, że całe lato upłynęło mi w słońcu. Jechałem znad morza na południe i patrzyłem z ciekawością na ułożone w szachownicę i przegrodzone rzędami drzew i krzewów łąki, które jeszcze piętnaście lat wcześniej były polem bitwy o Normandię. Piętnaście lat, a jakże wszystko się zmieniło. Łącznie ze mną. Dobiegałem trzydziestki.

Z radością powitałem hotel Saint-Louis-en-l'Ile. W ciągu półtora roku przynajmniej tu nic się nie zmieniło. Tyle tylko, że byłem na poddaszu sam, bez Tadzia Nowaka, a koc został zmieniony na w miarę porządny.

Nawiązałem kontakt z Walerianem Borowczykiem. Borowczyk ukończył krakowską Wyższą Szkołę Sztuk Plastycznych i potem zrobił błyskawiczną karierę. Razem z Janem Lenicą dostał nagrodę w Brukseli za film animowany pt. *Dom*, co w Polsce wywołało sensację. Zarówno on, jak i Jan Lenica nie wrócili już do Polski, zostali na stałe w Paryżu, przyjmując coraz liczniejsze zamówienia z zakresu grafiki i produkując krótkie filmy animowane. Rozeszli się wkrótce i każdy z nich poszedł swoją drogą. Pamiętam, że odwiedziłem Waleriana w jego pracowni, być może gdzieś w okolicy Bellevue. Nie znałem wtedy jeszcze miasta. Kiedy na stałe przybyłem do Paryża, straciłem go z oczu. Ale wiedziałem, że zyskał umiarkowaną sławę jako twórca wyrafinowanych filmów pełnometrażowych w stylu *soft porno*, do czego miał osobny talent. Co do Lenicy, wówczas przebywał on wieczorami w lokalu The Navy przy bulwarze Saint-Germain, tuż obok Librairie Polonaise, w otoczeniu stałych oraz przejezdnych Polaków i Polek. Tak samo zaprzyjaźniłem się wtedy z Piotrem Rawiczem.

Po raz pierwszy odwiedziłem Czesława Miłosza. Zbigniew Herbert, którego znałem z Polski, umówił się z nim na to spotkanie i zabrał mnie ze sobą. Pojechaliśmy z Paryża pociągiem podmiejskim do miejscowości Montrouge i tam wysiedliśmy, a Miłosz już na nas czekał. Piliśmy wino, i to tak dużo, że wkrótce przestaliśmy wiedzieć, co się z nami dzieje. Dlatego nie pamiętam, czy ówczesna żona Miłosza obraziła się na niego, czy też nie, czy piliśmy wino wprost przy dworcowym bufecie, czy też może poszliśmy do jego domu. A przede wszystkim nie pamiętam, jak potoczyła się dyskusja.

Poznałem także Jeleńskiego, który po rozmowie telefonicznej umówił się ze mną w restauracji. Tutaj dodam, że amerykańska swoboda rozluźniła mnie także politycznie. Minął zaledwie rok, odkąd, należycie przestraszony, spotkałem się z Giedroyciem w Maisons-Laffitte, a teraz bez strachu spotkałem się z Miłoszem, który ostro zerwał z Polską Ludową, z Jeleńskim — stałym współpracownikiem „Kultury" — i miałem spotkać się we Włoszech z Herlingiem-Grudzińskim. Zaprawdę, z punktu widzenia komunizmu Ameryka jest najbardziej niebezpieczna.

Byłem już po wydaniu książki w 1957 roku (*Słoń*) i po wystawieniu sztuki (*Policja*) w roku następnym. Oba te utwory odniosły wielki sukces. I tu zaczął się dla mnie problem.

W każdym kraju jest tak, że jeżeli jakaś książka osiąga sukces, to wydawcy w innych krajach starają się ją przetłumaczyć i wydać. Ale nie w kraju komunistycznym, gdzie liczy się tylko ideologia. Kariera mojej książki zaczęła się od Niemiec — ówczesnego RFN — a rok później napisałem dramat. W chwili kiedy przejeżdżałem przez Francję w 1959 roku, odbyło się już szesnaście premier mojej sztuki w Niemczech. Liczba imponująca, gdybym mieszkał w Niemczech i pisał po niemiecku, dostateczna — gdybym mieszkał we Francji i pisał po francusku. Ale ja pisałem po polsku i byłem Polakiem z komunistycznego świata.

Mój przypadek był pierwszy w Polsce i długo taki pozostał. Jeśli chodzi o książkę, rzecz była jeszcze możliwa, choć w komunizmie — nielegalna. Ale gdy chodzi o teatr? Nie było dotąd w historii Polaka, który mieszkając na stałe w Polsce, napisałby sztukę i sztuka ta w ciągu roku miałaby szesnaście premier w Niemczech, a później w innych krajach. Zbyt mało czasu minęło, żeby ktoś to policzył, a interesowało się tym niewielu. Ja też się tym wtedy zbytnio nie interesowałem. Przemykałem przez Francję i przy okazji podpisałem w wydawnictwie umowę na jednorazowe wydanie kilku moich opowiadań w książce *La Littérature Polonaise*. Była to nowość; opowiadania te nie były dotąd tłumaczone na język francuski. Podpisałem także umowę z czasopismem „Les Temps Modernes", nie zawsze dobrze widzianym w Polsce Ludowej. Starczyło na bilet do Polski, życie w Paryżu i we Włoszech oraz na parę drobiazgów. A wszystko nielegalnie.

Skończyło się wesołe nocne życie w Paryżu i udałem się znowu na Południe. Z Paryża do Nicei, do Ventimiglia i przez Genuę do Rapallo. Bo moim celem były odwiedziny u kolegi, który nazywał się Bohdan Paczowski.

Poznaliśmy się jeszcze na architekturze, z tym że ja odpadłem już po trzech miesiącach studiów, a on został sławnym architektem. Z tego powodu nasza znajomość nie była wówczas zbyt zażyła. Słyszałem, że należał on do grona złotej młodzieży (w owych czasach złota młodzież nie oznaczała jeszcze statusu społecznego), grał na fortepianie i był bardzo zdolny. Wysoki, mający blisko dwa metry wzrostu, przystojny, w czasie wakacji był ratownikiem na Wybrzeżu i imponował nam wszystkim ogólną sprawnością i siłą. Zwano go „Jumbo" z uwagi na kędzierzawe włosy i ciemną karnację. Niespodziewanie ożenił się bardzo wcześnie i podobno była to wielka miłość. Oboje wyróżniali się urodą i zawsze widziano ich razem. Później, od kiedy odszedłem z architektury, zbliżyliśmy się bardziej do siebie na zasadzie towarzyskiej. Nie przestanę powtarzać, że wtedy w Krakowie znali się prawie wszyscy. Później zacząłem odkrywać inne jego zalety, a mianowicie wielką i wszechstronną inteligencję.

Jego sytuacja była następująca: mieszkał u przyszywanej ciotki, która była hrabiną i nazywała się Markovaldi (tak przynajmniej zapamiętałem). Była wstrętną i ordynarną babą. Jeszcze przed wojną poślubiła Włocha z tytułem hrabiego, a teraz była wdową. Z domniemanego hrabiostwa pozostały resztki w zapuszczonym czynszowym domu. Bohdan pracował u architekta w sąsiedniej miejscowości — Chiavari, gdzie ów architekt miał nowoczesny i wygodny apartament połączony z pracownią w budynku na ostatnim piętrze. Jego żona pozostała w Krakowie, a on niecierpliwie oczekiwał jej przyjazdu. Wiadomo, że w komunizmie przyznawano paszport tylko jednemu ze współmałżonków, a drugie zostawało w Polsce jako zakładnik. A wszystko było po to, żeby ustrzec dane małżeństwo przed pokusą wybrania wolności na Zachodzie. Toteż Bohdan Paczowski był w trakcie załatwiania paszportu dla żony.

Pierwszą rzeczą, jaką zapamiętałem, była wycieczka z Rapallo do Wenecji. Samochód należał do włoskiego architekta i był to niewątpliwie ówczesny model fiata 1100. Pewne rzeczy coraz bardziej zacierają się w mojej pamięci, dlatego nie rozumiem, dlaczego później jeździliśmy po okolicy autobusem albo fiatem 600. Bo patron Bohdana — Benedetto Resio — miał wówczas tylko jeden samochód.

Przyłączył się też do nas inny kolega Bohdana i do pewnego stopnia także mój — architekt, który sezonowo pracował we Włoszech. Była to podróż beztroska i nieco szalona z powodu nadmiaru naszej energii. Zdaje się, że nie nocowaliśmy w Wenecji, tylko przebyliśmy odległość od Morza Śródziemnego do Adriatyku i z powrotem. I to wtedy, gdy autostrady jeszcze nie istniały. Świtało już, jak wjeżdżaliśmy z powrotem do Rapallo.

Ja i mój kompan byliśmy także w Rzymie. Wenecję już odwiedziłem wcześniej, ale w Rzymie byłem po raz pierwszy. Nocowaliśmy u sióstr, których misją była obsługa pielgrzymek. Opłata była tam bardzo niska. Przechadzaliśmy się sławną podówczas Via Vittorio Veneto. Było to tuż po filmie *La dolce vita* Felliniego i piesi mogli podziwiać tam aktorskie gwiazdy pierwszej wielkości, sławnych reżyserów i producentów, bogatych Amerykanów i piękne kobiety siedzące przy stolikach przed restauracjami. A wszystko to w nocnej scenerii, z właściwym Włochom wdziękiem i nieświadomym poczuciem kompozycji, któremu nie dorównuje żaden inny kraj na świecie.

Te wrześniowe noce były nad podziw upalne, jak to bywa na Południu, ale rok 1959 był wyjątkowy. Szliśmy, podziwiając i zazdroszcząc. Nie wiedzieliśmy jeszcze, że los przeznaczy nam niekonwencjonalne rozwiązanie.

Po powrocie do Rapallo odbyłem wycieczkę do Neapolu, żeby poznać Gustawa Herlinga-Grudzińskiego. Poza Francją i Jerzym Giedroyciem Neapol był drugim biegunem, na którym koncentrowały się drogi nielegalnych przybyszów z Polski. Było to tak dawno temu, że nie pamiętam wnętrza Villi Ruffo, gdzie Gustawa widziałem po raz pierwszy. Trzy lata potem, kiedy zamieszkałem we Włoszech na stałe, widywaliśmy się dość często. Przyjeżdżaliśmy z żoną do Neapolu, a on zatrzymywał się u nas w Chiavari w drodze do Francji. Po paru latach, kiedy przenieśliśmy się do Paryża, przyjeżdżał do nas z Maisons-Laffitte, gdzie mieszkał każdego lata.

W Neapolu zostałem kilka dni. Skorzystałem z okazji, żeby odbyć obowiązkową wycieczkę na Capri. Włochy były dla mnie nowością. Sam nie mogę w to uwierzyć, że wszystko było dla mnie takie ciekawe.

Dni upływały nam na rozmowach w pracowni, a wieczory na włóczęgach po wybrzeżu. Rysując nieciekawe projekty apartamentowców, Bohdan znajdował czas na rozmowę, a ja dotrzymywałem mu towarzystwa, nie mając nic innego do roboty. Toteż te parę tygodni wspólnie spędzonego czasu, częściowo z wyboru, a częściowo z przymusu, pogłębiło naszą znajomość. Co do wypraw po okolicy, północno-zachodnie wybrzeże Morza Śródziemnego ma sławę jednego z najbardziej uroczych miejsc w Europie. Rejon ten ciągnie się od Genui aż do Sestri Levante i obejmuje takie miejscowości jak: Santa Margherita Ligure, Rapallo, Portofino i Chiavari. Zaraz nad plażą zaczynają się góry pokryte bujną roślinnością, a łączy je wszystkie stara napoleońska droga. Zima trwa tylko do lutego, a lekki powiew wiatru daje się odczuwać nawet w największe upały. Toteż masy ludzi ściągają tu z Europy, zarówno zwykli turyści, jak i ludzie bardzo zamożni. Ale miejsca jest tu mało, więc natura ogranicza ich liczbę. Teraz, we wrześniu, turyści zaczęli powracać do domów, pozostawiając nam trochę miejsca.

Pod koniec mojego pobytu zdarzyło się coś, co o mało nie skończyło się dla mnie bardzo źle. Życzliwy Benedetto Resio udostępnił mi mieszkanie, w którym mogłem nocować w czasie mojego pobytu w Chiavari. Mieszkanie składało się tylko z jednego malutkiego pokoju, w którym stało łóżko. Reszta pomieszczenia wypełniona była architektonicznymi planami i projektami. Ale przyjąłem tę ofertę z wdzięcznością, ponieważ wolałem to, niż miałbym znosić głupie uwagi hrabiny Markovaldi. Poza tym mogłem dysponować całym mieszkaniem. Zdarzyło się, że w południe poszedłem do łazienki, żeby się ogolić i wykąpać. Uruchomiłem wodę i gaz i zabrałem się do golenia. Już podczas tej czynności poczułem się jakoś dziwnie. Rozebrałem się, wszedłem do wanny i dopiero wtedy poczułem się dziwnie naprawdę. Ogarnęła mnie senność. Spojrzałem w okno. Pod nim, sześć pięter w dół, bawiły się dzieci i dolatywał metaliczny hałas, ponieważ był tam warsztat naprawy samochodów. „Więc to tylko tyle?" — pomyślałem i straciłem przytomność.

Obudziłem się na podłodze po drugiej stronie łazienki. Drzwi były otwarte na oścież. Miałem na sobie piżamę włożoną przodem do tyłu. Widać było, że walczyłem z tą piżamą. W wannie przelewała się woda, już zalewała podłogę. Ale okno było w dalszym ciągu otwarte i to mnie uratowało.

Później sprawdzałem łazienkę. Pędzel był umyty. Widocznie — nie zdając sobie z tego sprawy — umyłem go i odłożyłem na miejsce. Podobnie było z piżamą. Przekonałem się, że niekiedy człowiek w niebezpieczeństwie wykonuje odruchowo pewne czynności, które nie mają nic wspólnego z ocaleniem. Do dziś nie wiem, co się wtedy wydarzyło.

Ta anegdota nie byłaby warta wzmianki, gdyby taka sytuacja zdarzyła się tylko ten jeden raz. Ale to powtarzało się wielokrotnie, w różnych okresach mojego życia. Dokładnie mówiąc, czterokrotnie. Za każdym razem zostałem ocalony cudem. Nie można pominąć trzech szpitali, w których przebywałem w ciągu dwudziestu lat, i jakiejś pół setki lekarzy.

Tymczasem nastał październik i czas było wyjeżdżać. Pogoda się zmieniła, a może to tylko świadomość powrotu do Polski tak na mnie podziałała. Przygotowałem swój dobytek — mizerne łupy, które w ówczesnej Polsce były bezcenne, bo zagraniczne. Na przykład marynarkę z tweedu, kosmetyki z Paryża, urządzenie do suszenia naczyń w kuchni i parę innych drobiazgów. Pożegnałem się z przyjacielem i wsiadłem do pociągu Genua–Mediolan–Wenecja–Wiedeń.

Wiedeń był ostatnim przystankiem po zachodniej stronie. Dalej, od granicy z Czechosłowacją aż do Kamczatki, rozciągała się kraina dla mieszkańców Zachodu tajemnicza, gdzie miejscowa ludność, skazana na gigantyczne kłamstwo, mogła żyć tylko za cenę podwójnej moralności. Ale już od Genui nie to było moim zmartwieniem. Dręczył mnie niepokój, czy celnicy po stronie polskiej nie rzucą się na mój nędzny dobytek.

Przesiadłem się w Wiedniu. Pociąg „Chopin" — co za poetycko-patriotyczna nazwa — już na mnie czekał. Siedzieli w nim tylko Polacy i rozglądali się wokół nieufnie, gotowi odeprzeć każdą agresję, z którejkolwiek strony miałaby nadejść.

Po podróży trwającej w nieskończoność z powodu przestojów i czterokrotnego sprawdzania paszportów znalazłem się wreszcie w Polsce.

Znowu w Polsce

Wzięliśmy ślub cywilny w Katowicach 16 listopada 1959 roku. Jednocześnie złożyłem wniosek o wymeldowanie z Krakowa. Warszawa była wówczas „miastem zamkniętym" i ktokolwiek chciałby w niej zamieszkać, musiał przedstawić władzom ważne powody. Ja takie uzasadnienie przedstawiłem i zameldowaliśmy się w Warszawie.

W czasie mojego pobytu za granicą wiele się zmieniło. Władysław Gomułka — pierwszy sekretarz PZPR, czyli prawdziwy zarządca Związku Radzieckiego na Polskę — pokazał swoją prawdziwą twarz. Zaczęło się to już wcześniej, gdy zamknięto „Po prostu" w Warszawie i brutalnie rozpędzono grupę studentów, którzy próbowali temu zapobiec. To stało się ogólnym sygnałem do odwrotu odwilży. Odtąd wszystko miało być tak jak przedtem.

To wszystko odbiło się na moim życiu zawodowym. Okazało się, że choć wiele teatrów chce grać moją sztukę, tylko niektóre uzyskują pozwolenie. W dodatku stosowano metodę reglamentacji — słowo chętnie używane przez cenzurę. Reglamentacja polegała tu na tym, że sztukę grywano, ale już po paru dniach schodziła z afisza, rzekomo z powodu braku publiczności. Bywało też tak, że sztukę, owszem, grano, ale ograniczano znacznie liczbę sprzedawanych biletów, podczas kiedy przed kasą kłębiły się tłumy. Tak czy inaczej stosowano różne wybiegi, aby ograniczyć widzom dostęp do mojej sztuki.

Ale zbyt wczesne były jeszcze wspomnienia z zagranicy, abym przejął się rzeczywistością. Małżeństwo, zmiana miejsca zamieszkania, a przede wszystkim otwarta, jak mi się wtedy wydawało, perspektywa przyszłości nie pozwalały mi zbytnio troszczyć się o realia. Przez jakiś czas żyłem w dwóch miastach, głównie w Warszawie, a od czasu do czasu w Krakowie, co samo w sobie było urozmaiceniem. Jednak w końcu konieczność zameldowania się i obowiązki w Warszawie zmusiły mnie do ostatecznego pożegnania z Krakowem. Przedtem dojeżdżałem tutaj, aby po prostu pobyć, spotkać kolegów czy zobaczyć premierę w Piwnicy pod Baranami. Tęsknota za Krakowem dopadła mnie nagle, kiedy już byłem na stałe w Warszawie. A może właśnie dlatego? Świadomość, że już jestem tak daleko od Krakowa, dostatecznie mnie przed nim zabezpieczała.

W Krakowie pozostało mi tylko jedno do zrobienia: pozbyć się przynależności do Polskiej Zjednoczonej Partii Robotniczej. Wnet nadarzyła się po temu okazja. Spotkałem na ulicy Władysława Machejka, naszego pierwszego sekretarza. Właśnie wróciłem z Ameryki i Władysław Machejek zaproponował mi napisanie „czegoś" o Ameryce do „Życia Literackiego". Obiecałem mu to i przy tej sposobności poprosiłem, żeby spotkał się ze mną w pilnej sprawie. Powiedział, że będzie w siedzibie PZPR przy Rynku i Wiślnej i wymienił jakąś datę. Wtedy nie przyszło mi do głowy, że z tego samego lokalu PZPR, która dla odmiany wówczas nazywała się PPR, strzelano do mnie i do moich kolegów dnia

3 maja 1946 roku, kiedy manifestowaliśmy przeciwko partii i rządowi.

Nie pamiętam, kiedy odbyło się ostatnie zebranie podstawowej organizacji PZPR z moim udziałem. Z całą pewnością odbyło się już po śmierci Stalina, ale od tego czasu wiele się zmieniło. Zagadkowa śmierć Bieruta, stopniowa rehabilitacja osób uwięzionych, a przede wszystkim ucieczka Światły na Zachód — to wszystko osłabiło partię. Ale dopiero rewolta w Poznaniu, powrót do władzy Gomułki, powstanie na Węgrzech i ponowne rozczarowanie Gomułką sprawiły, że w partii pozostali sami karierowicze z niewielkimi wyjątkami. Karierowiczów wprawdzie nie brakło, lecz wypalił się już święty ogień socjalizmu.

Logicznie rzecz biorąc, do Podstawowej Organizacji Partyjnej przy Związku Literatów mogli mieć wstęp tylko inteligenci, i to o zacięciu literackim. Sama obecność pierwszego sekretarza i kilku jemu podobnych niczego tu nie zmieniała. Nie mogłem już w żaden sposób przyjąć, żeby inteligent przy zdrowych zmysłach dalej pozostawał w partii typu sowieckiego. Już sama zasada komunizmu była absurdem. W praktyce sprowadzała się przecież do tego, że człowiek tępy mógł być nie tylko literatem, lecz także czymkolwiek innym. Z chwilą kiedy to zrozumiałem, postanowiłem wycofać się z tego obłędu.

W centralistycznym ustroju, który panował w Polsce, Kraków był tylko jedną z wielu prowincji. Warszawska PZPR przy Związku Literatów Polskich była więc o wiele ważniejsza od krakowskiej, poczynając od reprezentacyjnego budynku na Krakowskim Przedmieściu, a kończąc na dobrej stołówce. Także liczba członków literatów była znacznie większa w Warszawie niż w całej Polsce razem. Podczas kryzysu w partii w latach 1956–1959 w Warszawie toczyły się boje między opozycją a reakcją. Opozycja oczywiście przegrała, co spowodowało liczne rezygnacje literatów, którzy występowali z szeregów partii. Sytuacja ponowiła się w następnych latach, ale ja już byłem we Włoszech i o tym, co działo się w Warszawie, dowiadywałem się z włoskiej prasy.

W oznaczonym dniu wziąłem legitymację PZPR i udałem się na spotkanie. Pamięć niespodziewanie zawodzi, to znowu przekazuje wspomnienia z niebywałą precyzją. Nie pamiętam więc dokładnej daty tego spotkania. Wiem tylko, że był to październik, a dzień był słoneczny. Po wylegitymowaniu się na portierni wszedłem na piętro, do wysokiego obszernego pokoju. Machejek siedział przy biurku, a ja usiadłem naprzeciw niego. Za plecami miałem Rynek, a ulicę Wiślną po prawej stronie. Na zewnątrz było jeszcze jasno, z czego wynika, że mogła być czwarta po południu. Ponowiłem obietnicę napisania „czegoś", a potem wyciągnąłem legitymację Polskiej Zjednoczonej Partii Robotniczej, położyłem ją na stole i powiedziałem:

— Mam tu dla was moją legitymację.

Nie zdziwił się. Prawdopodobnie miał popołudniowego kaca. Wziął tylko legitymację do ręki i popatrzył na nią bezmyślnie.

— No, to ja bym chciał wystąpić z partii — dodałem tonem wyjaśnienia.

— A może się jeszcze rozmyślicie? — zapytał Machejek bez zbytniego przekonania.

— Eee, nie.

Machejek jedną ręką otworzył szufladę, drugą ręką włożył do niej moją legitymację i zamknął szufladę. Nie mogłem uwierzyć własnym oczom. To było wszystko.

— No, to piszcie ten reportaż.

Wyszedłem oszołomiony własnym szczęściem.

Jak miałem rozumieć Władysława Machejka? Czy może był zniechęcony okresową słabością? A może byłem dla niego tylko inteligentem, dobrze piszącym, ale bez wartości dla pracy partyjnej? Między nim a mną był ocean nieporozumień, więc to by mnie nie dziwiło. W każdym razie zagadka pozostała niewyjaśniona.

I tak PZPR zniknęła z mojego życia. Ale przypominały mi o niej... i tu niespodzianka — Stany Zjednoczone Ameryki. Kiedy już po wszystkich perypetiach, po azylu we Francji i jakiś czas po wymianie paszportu uchodźcy na normalny paszport francuski postanowiłem pojechać do Ameryki, przekonałem się ze zdziwieniem, że muszę uzyskać specjalne zezwolenie na wjazd. Nic nie pomogło, nawet interwencja w ambasadzie USA w Paryżu. Przynależność do totalitarnej partii pozostała ze mną na zawsze, pomimo że z niej wystąpiłem. Nawet syfilis i gruźlica są wybaczalne, to znaczy można się z nich wyleczyć, ale przynależność do partii totalitarnej — nie. I wbrew temu, czego można by oczekiwać ode mnie — bardzo mi się to spodobało.

Dalszy ciąg w skrócie

Nie wiem, czy jeszcze do tego wrócę, i dlatego chciałbym zostawić czytelnikowi kilka uwag dotyczących dalszego ciągu tych wspomnień.

Maria Obremba, moja towarzyszka, żyła jeszcze przez dziesięć lat. Zmarła nagle, w rocznicę naszego ślubu 31 października 1969 roku. Przyczyną był gwałtowny rak. Od pierwszego symptomu do zgonu minęło zaledwie osiemnaście dni. Pochowana została w Berlinie Zachodnim, a później, staraniem jej siostry i za moją zgodą, na cmentarzu w Katowicach.

Kiedy jeszcze w Warszawie zdradziłem jej zamiar wspólnego wyjazdu na Zachód i pozostania tam na zawsze — a wtedy nie wiedzieliśmy jeszcze, jaka przyszłość nas czeka — powiedziała:

— Wolę szorować podłogi tam, niż zostać tutaj.

Dodam, że było to dwa i pół roku po naszym wyjeździe z Krakowa i dzięki mojej karierze niczego nam nie brakowało.

Wyjechaliśmy więc razem dnia 8 czerwca 1963 roku, pod pozorem spędzenia wakacji w miejscowości Chiavari na zachodnim wybrzeżu Morza Liguryjskiego. Jednakże nie zamierzałem wrócić, tylko pozostać na stałe w jednym z europejskich krajów. Przez pięć lat targowałem się z władzami Polski Ludowej, upierając się przy swoim, aż wreszcie, znużony ich krętactwami, poprosiłem o azyl we Francji. Dopomógł mi w tym udział Polski w najeździe na Czechosłowację w ramach paktu warszawskiego.

W październiku 1987 roku zawarłem po raz drugi małżeństwo w Paryżu z Susaną Osorio. Pod koniec 1989 roku opuściliśmy Paryż, żeby zamieszkać w górach, sześćdziesiąt kilometrów na zachód od Mexico City. Przeżyliśmy w hacjendzie siedem lat, aż okoliczności, które czytelnik już zna, zmusiły nas do powrotu na stałe do Polski.

Baltazar

W grudniu 2003 roku znalazłem się chwilowo w Paryżu. Przebywaliśmy w obszernym mieszkaniu na czwartym piętrze przy ulicy Guynemer, naprzeciw Ogrodu Luksemburskiego. Te okoliczności mogą być istotne ze względu na sen, jaki mi się przytrafił.

Śniło mi się, że moje imię i nazwisko były wypisane na urzędowym druku po polsku. Litery, które pamiętam bardzo wyraźnie, były wydrukowane na drukarce komputerowej. Jednocześnie pojawił się głos, jakby znikąd. Głos powiedział, że wkrótce czeka mnie daleka podróż za granicę. Dokument, który został załączony, wezmę ze sobą. Po przybyciu na miejsce przedstawię go tamtejszym władzom. Potem władze spełnią to, czego od nich zażądam, ale pod warunkiem, że nigdy już nie użyję mojego prawdziwego imienia i nazwiska. Moje nowe nazwisko będzie brzmiało: Baltazar.

Obudziłem się pod wrażeniem tego snu. Baltazar... Nigdy przedtem nie byłem entuzjastą mojego nazwiska. Towarzyszyło mi zawsze jako nudna konieczność. Później, kiedy zacząłem już pisać, było przy mnie przez wzgląd na mojego ojca. Aż do momentu, w którym zostałem dotknięty afazją.

Afazja

Zdarzenie to, czy raczej katastrofa, związane jest z udarem mózgu, którego doświadczyłem w niedzielę, dnia 15 maja 2002 roku przed południem. Siedziałem przy stole i pisałem, nie pamiętam już co. I nagle coś mi się stało. Próbowałem dalej pisać, ale było coraz gorzej. Wobec tego przeszedłem do sypialni i położyłem się. Chwilami traciłem przytomność.

Susana zorientowała się pierwsza, że coś jest nie w porządku, i zadzwoniła po doktora Krzysztofa Strózika. Na szczęście był w domu, ale zupełnie nie pamiętam, jak się pojawił. Pamiętam tylko, że stałem w pełnym słońcu na ulicy i czekałem na karetkę. Było mi jakoś żal tego dnia. Wiedziałem, że nie odzyskam go już nigdy. Leżąc w karetce, patrzyłem na błękitne niebo i nawet żal stał mi się obojętny. Karetka się zatrzymała. Potem były jakieś korytarze, jakieś przejścia i twarze pochylające się nade mną, co chwila inne. Wszystko było splątane i bezładne.

Zaczęło się najgorsze. Byłem w miejscu, gdzie spotworniałe przedmioty nie dały się zatrzymać. Płynne — to rozdymające się w nieskończoność, to kurczące się do zaniku, nie pozwalały się ustalić żadną miarą. Niby coś walczyło we mnie o zachowanie proporcji, ale lada chwila groziło mi osunięcie się w nicość. Aż niespodziewanie zacząłem być sobą samym. Moja postać, wyobrażona przeze mnie, pojawiła się w drzwiach, a potem zaczęła powoli przechodzić wzdłuż sypialnych łóżek. Pielęgniarki nie zwracały na to uwagi. Gdy znalazłem się przy moim łóżku, położyłem się z ulgą. Wtedy jedna z pielęgniarek założyła mi kroplówkę. Byłem uratowany.

Jeszcze w szpitalu, gdy zacząłem się poruszać wokół łóżka, żyłem złudzeniami. Nie zdawałem sobie sprawy z tego, że straciłem mowę. Na życzliwe uwagi pielęgniarek uśmiechałem się grzecznie i to mi wystarczało. Wszyscy dookoła byli bardzo uprzejmi. Później domyśliłem się dlaczego. Podsuwano mi proste, dziecinne ćwiczenia, które wykonywałem bądź nie, w zależności od samopoczucia. Ale nie wiedziałem jeszcze, że utraciłem zdolność posługiwania się językiem w mowie i w piśmie. Na razie zajmowałem się układankami z klocków, nie zdając sobie sprawy z tego, że są one tak ważne dla dalszych postępów w terapii po udarze. Susana klaskała ze mną w ręce, niby dla zabawy, i liczyła ze mną od jednego do dziesięciu, a gdy miałem dobry dzień — od dziesięciu do jednego. Przyniosła mi składaną mapę Europy dla dzieci do lat siedmiu. Mapa podzielona była na kilka części, a ja miałem złożyć je odpowiednio w całość. Nie od razu mi się to udało.

Potem zaczęli przychodzić specjaliści od ćwiczeń ruchowych i przekonałem się, że te ćwiczenia, które dawniej wydawały mi się tak proste, iż niewarte nawet wzmianki, teraz są dla mnie wielkim wyzwaniem. Pojawiły się też różne urządzenia, pomysłowe i proste w obsłudze, wobec których byłem dotąd bezsilny, a które teraz miały pomóc mi odzyskać pełną sprawność fizyczną. Ale kiedy zaczęli przychodzić różni logoterapeuci, zbuntowałem się. Milczałem w odpowiedzi na zadawane mi pytania i udawałem niemowę, którym rzeczywiście byłem. Po pewnym czasie osoby te przestały się pojawiać.

Codziennie około godziny dziesiątej wkraczał rytualny orszak z szefem kliniki na czele. Za nim szli lekarze i lekarki różnych specjalizacji, a na końcu studenci. Zauważyłem, że wojsko i szpital nie sprzyjają demokracji.

Wreszcie nastał dla mnie dzień powrotu do domu. Przed drzwiami poprosiłem o klucze, ponieważ po tak długiej nieobecności chciałem wejść pierwszy do mieszkania. Ale nie potrafiłem wyłączyć alarmu ani przekręcić klucza w zamku, więc uczyniono to za mnie. Potem od razu podszedłem do telefonu, gdyż chciałem zadzwonić, ale nie potrafiłem wybrać odpowiednich cyfr na klawiaturze aparatu telefonicznego, więc i z tym dałem sobie spokój. Usiadłem na krześle i posiedziałem przez chwilę. Ale gdy wstałem, wszystko zawirowało. Nie wiedziałem jeszcze, że moja zdolność do percepcji otaczającego mnie świata, znajomość pojęć przeciwstawnych, takich jak na przykład góra i dół, prawo i lewo, oraz zdolność do określania odległości czy czasu, uległy znacznemu ograniczeniu. Zrozumiałem, że od tej pory będę musiał mozolnie pracować, aby odzyskać to, co utraciłem. A oto bilans mojej klęski.

Znałem kilka języków obcych. Po powrocie ze szpitala okazało się, że nie potrafię rozmawiać w żadnym z nich.

Język polski, będący moim ojczystym językiem, stał się nagle niezrozumiały. Nie potrafiłem ułożyć żadnego sensownego zdania.

Potrafiłem czytać, jednak nie rozumiałem tego, co przeczytałem.

Utraciłem umiejętność posługiwania się maszyną do pisania, komputerem, faksem i telefonem. Nie wiedziałem też, jak posługiwać się kartą kredytową.

Nie umiałem liczyć i nie mogłem odnaleźć się w kalendarzu.

Konieczność wyjścia na ulicę budziła we mnie zdecydowany sprzeciw. Panicznie bałem się spotkania z obcymi.

Jedyne, co mi pozostało, to umiejętność słuchania muzyki. Poczułem, że teraz rozumiem ją znacznie lepiej, zwłaszcza kiedy zamykam oczy.

Widząc moją apatię, sprawujący nade mną stałą opiekę doktor Krzysztof Strózik zaproponował mi terapię i podjęcie współpracy z logopedą — panią magister Beatą Mikołajko. Bardzo chciałem znowu pisać, więc terapia nie mogła być konwencjonalna. Jednak zaczęliśmy od żmudnych ćwiczeń powtarzania, przypominania i układania pierwszych poprawnych zdań. Musiałem pokonać mój lęk przed ludźmi i przed światem zewnętrznym. Musiałem przełamać w sobie apatię i podjąć działanie. Pierwsze sukcesy — poprawne odpowiedzi na zadawane pytania, a także to, że powoli zacząłem odzyskiwać orientację w czasie i przestrzeni oraz potrafiłem skomentować to, co działo się wokół mnie — pozwoliły mi uwierzyć, że pokonam afazję i wrócę do zawodu.

Literatura

Pisałem od dwudziestego roku życia. Pisanie było jedynym zawodem, który wykonywałem w miarę dobrze. Tak się złożyło, że od początku kariery nie musiałem pukać do drzwi redakcji, a później do teatru z informacją, że napisałem opowiadanie czy sztukę, ani prosić o jej przeczytanie, mając potem wątłą nadzieję, że zostanie temu nadany ciąg dalszy. Ten stan rzeczy przyjąłem naturalnie, nie zastanawiając się nad jego wyjątkowością. Tak było w Polsce, a potem na Zachodzie. A przecież nie zawsze tak bywa. Różne utrudnienia, przynajmniej na początku, towarzyszą pisarzowi w jego długiej drodze. Toteż przywykłem do tej mojej „nienormalności" i nie widziałem w niej nic zdrożnego. Tym sposobem uniknąłem goryczy, rozczarowania i zawodu, które często towarzyszą pisarzowi do końca jego dni.

Inne okoliczności sprawiły, że nie przejmowałem się zbytnio niepowodzeniami. Jest cechą mojego charakteru, że bardzo przejmuję się stanami mojej duszy, ale tylko na chwilę. Po prostu nie mam czasu na przeżywanie ich zbyt długo.

Zdarzało mi się nie znosić niektórych pisarzy, a innych darzyć szacunkiem. Niechęć odczuwałem do tych, którzy — wedle mojej opinii — ustępowali mi pod względem jakości produktu, a darzyłem uznaniem tych, którzy mnie w tym przewyższali. Nie byłem zainteresowany reklamą i nie cierpiałem tych, którzy się nią interesowali za bardzo. Ich powodzenie przypisywałem właśnie reklamie. Obojętny stałem się dopiero wtedy, kiedy zacząłem się starzeć.

Starość

Kiedy człowiek jest młody, próbuje wyprzedzić świat. Potem zaledwie dotrzymuje mu kroku, aż wreszcie zaczyna być przez świat wyprzedzany.

Jeszcze w Meksyku na skutek całkowitej izolacji nie zwracałem na to uwagi. Robiłem swoje i cała reszta mnie nie obchodziła. Ale po przyjeździe do Europy i do Polski znalazłem się w samym środku skomplikowanej rzeczywistości i musiałem jakoś sobie radzić. A to nie zawsze mi się udawało. Z początku byłem nadal modny, co wydawało mi się naturalne ze względu na moją nieobecność przez trzydzieści trzy lata, kiedy to dosyć skąpo dawałem znać o sobie. Uporanie się z najprostszymi rzeczami, które były życiową koniecznością, zajęło mi jakieś trzy lata. Załatwiałem mieszkanie, papiery i inne przyziemne sprawy dotyczące życia codziennego. Dopiero potem mogłem się rozejrzeć, by zrozumieć, że właśnie się starzeję.

Niespodziewanie „na pomoc" przyszła mi afazja. Podziałała na mnie jak samobójstwo, które się nie udało, ale pozostawiło nieznaczne ślady i nie można już ich usunąć. Ale ja, zmieniając nazwisko i podpisując się „Baltazar", przyznaję się otwarcie do niedoskonałości. Odtąd nie można mnie chwalić ani ganić za nic, co napisałem przed afazją, ponieważ tamten człowiek nie istnieje.

Druga sprawa to moja przynależność do Polski. Cokolwiek jeszcze napiszę, nie będzie wątpliwości, że przynależę do Polski. A jeszcze niedawno bywało różnie. Przyzwyczajony do swobody i będąc w pełni sił, nie mogłem się oswoić z myślą, że Polska jest moim przeznaczeniem. Ale teraz mogę mówić i pisać tylko po polsku i odczuwam ulgę jak ktoś, kto po długiej wędrówce zawitał do domu rodzinnego.

Zakończenie

Ta książka nie pretenduje do doskonałości. Jeżeli tylko okaże się na poziomie, to cel — powrót do pisania po udarze mózgu — zostanie osiągnięty. Cały proces pisania tej książki był jednym z elementów dość złożonej i niekonwencjonalnej terapii. Pisałem odręcznie, po kilka stron dziennie. Pani Beata Mikołajko — mój terapeuta — czytała to, co napisałem, i pracowaliśmy nad tekstem, nanosząc liczne poprawki. Chciałbym dodać, że w ciągu ostatnich czterech lat napisałem kilka tysięcy stron tekstu, który nigdy nie zostanie wykorzystany. Spełnił już swoje zadanie jako materiał ćwiczeniowy w terapii.

Szpitalem, który zajął się moją reanimacją, a potem leczeniem pooperacyjnym, jest II Katedra i Klinika Chorób Wewnętrznych w Krakowie. Składam podziękowanie prof. dr. hab. Andrzejowi Szczeklikowi oraz całemu personelowi kliniki za nadzwyczaj troskliwą opiekę.

Wreszcie chciałbym poświęcić tę książkę wszystkim osobom dotkniętym afazją, których w Polsce wcale nie jest tak mało. Jesteśmy wdzięczni za wszystko, co może nam pomóc uporać się z chorobą. Mam nadzieję, że moja książka też się do tego przyczyni.

Spis treści

W tej edycji nakładem wydawnictwa
Noir sur Blanc ukazały się następujące dzieła
Sławomira Mrożka:

OPOWIADANIA, tomy 1–3
1999

DZIENNIK POWROTU
2000

UTWORY SCENICZNE
2000

WYBÓR DRAMATÓW, tomy 1–2
2000

MAŁE LISTY
2000

MALEŃKIE LATO
2001

UCIECZKA NA POŁUDNIE
2002

VARIA, tom 1
ŻYCIE I INNE OKOLICZNOŚCI
2003

VARIA, tom 2
JAK ZOSTAŁEM FILMOWCEM
2004

VARIA, tom 3
JAK ZOSTAŁEM RECENZENTEM
2005

Sprzedaż naszych książek prowadzi
Dział Handlowy Wydawnictwa Literackiego
w Krakowie
ul. Długa 1
31-147 Kraków

Zamówienia prosimy kierować:
– telefonicznie: 0 800 42 10 40 (linia bezpłatna)
– faksem: 0 prefiks 12 430 00 96 (czynnym całą dobę)
– e-mailem: nsb@wl.net.pl
– księgarnia internetowa: www.noirsurblanc.pl

Printed in Poland
Oficyna Literacka Noir sur Blanc Sp. z o.o., 2006
ul. Frascati 18, 00-483 Warszawa

Skład i łamanie: Zdzisław Popławski